総合判例研究叢書

民事訴訟法（5）

有斐閣

序

フランスにおいて、自由法学の名とともに判例の研究が異常な発達を遂げているのは、その民法典が百五十余年の齢を重ねたからだといわれている。それに比較すると、わが国の諸法典は、まだ若い。最も古いものでも、六、七十年の年月を経たに過ぎない。しかし、わが国の諸法典は、いずれも、近代的法制を全く知らなかつたところに輸入されたものである。そのことを思えば、この六十年の間に極めて重要な判例の変遷があつたであろうことは、容易に想像がつく。事実、わが国の諸法典は、それに関連する判例の研究でこれを補充しなければ、その正確な意味を理解し得ないようになつている。

判例が法源であるかどうかの理論については、今日なお議論の余地があろう。しかし、実際問題として、多くの条項が判例によつてその具体的な意義を明かにされているばかりでなく、判例によつて特殊の制度が創造されている例も、決して少くはない。判例研究の重要なことについては、何人も異議のないことであろう。

判例の創造した特殊の制度の内容を明かにするためにはもちろんのこと、判例によつて明かにされた条項の意義を探るためにも、判例の総合的な研究が必要である。同一の事項についてのすべての判決を探り、取り扱われた事実の微妙な差異に注意しながら、総合的・発展的に研究するのでなければ、判例の研究は、決して終局の目的を達することはできない。そしてそれには、時間をかけた克明な努力を必要とする。

幸なことには、わが国でも、十数年来、そうした研究の必要が感じられ、優れた成果も少くないようになつた。いまや、この成果を集め、足らざるを補ない、欠けたるを充たし、全分野にわたる研究を完成すべき時期に際会している。

かようにして、われわれは、全国の学者を動員し、すでに優れた研究のできているものについては、その補訂を乞い、まだ研究の尽されていないものについては、新たに適任者にお願いして、ここに「総合判例研究叢書」を編むことにした。第一回に発表したものは、各法域に亘る重要な問題のうち、研究成果の比較的早くでき上ると予想されるものである。これに洩れた事項でさらに重要なもののあることは、われわれもよく知つている。やがて、第二回、第三回と編集を継続して、完全な総合判例法の完成を期するつもりである。ここに、編集に当つての所信を述べ、協力される諸学者に深甚の謝意を表するとともに、同学の士の援助を願う次第である。

昭和三十一年五月

編集代表
小野清一郎　宮沢俊義
末川　博　我妻　栄
中川善之助

凡　例

一　判例の重要なものについては、判旨、事実、上告論旨等を引用し、各件毎に一連番号を附した。

二　判例年月日、巻数、頁数等を示すには、おおむね左の略号を用いた。

大判大五・一一・八民録二二・二〇七七　（大審院判決録）
（大正五年十一月八日、大審院判決、大審院民事判決録二十二輯二〇七七頁）

大判大一四・四・二三刑集四・二六二　（大審院判例集）

最判昭二二・一二・一五刑集一・一・八〇　（最高裁判所判例集）
（昭和二十二年十二月十五日、最高裁判所判決、最高裁判所刑事判例集一巻一号八〇頁）

大判昭二・一二・六新聞二七九一・一五　（法律新聞）

大判昭三・九・二〇評論一八民法五七五　（法律評論）

大判昭四・五・二二裁判例三・刑法五五　（大審院裁判例）

福岡高判昭二六・一二・一四刑集四・一四・二一一四　（高等裁判所判例集）

大阪高判昭二八・七・四下級民集四・七・九七一　（下級裁判所民事裁判例集）

最判昭二八・二・二〇行政例集四・二・二三一　（行政事件裁判例集）

名古屋高判昭二五・五・八特一〇・七〇　（高等裁判所刑事判決特報）

東京高判昭三〇・一〇・二四東京高時報六・二・民二四九　（東京高等裁判所判決時報）

札幌高決昭二九・七・二三高裁特報一・二・七一　（高等裁判所刑事裁判特報）

前橋地決昭三〇・六・三〇労民集六・四・三八九　（労働関係民事裁判例集）

その他に、例えば次のような略語を用いた。

裁判所時報＝裁　時　　家庭裁判所月報＝家裁月報

判例時報＝判　時　　判例タイムズ＝判　タ

目　次

証拠の採否　瀧川叡一

書証の証拠力　田中和夫

証拠の採否

瀧川叡一

はしがき

本稿は証拠申出の採否、即ち民訴二五九条、旧民訴二七四条に関する判例の総合的研究である。この問題に関する判例は古くから相当多数あるが、断片的なものが多いので、本稿では判例理論全体の内容と論拠を明かにするため、事案の内容に即して判例の意味を探求した上、なるべく判例の立場に立つて若干の批判を加えながらこれを分析しようと試みた。従つて学説については右の作業に必要な限度でこれを参照し、最後に判例と学説の基本的立場の相違に触れるにとどめた。でき上つたものが所期の目的を達したかどうかは心もとないが、大方の御叱正を得れば幸である。この問題に関する判例の総合的研究としては、既に、片山通夫・判例を中心としたる民事訴訟法の諸問題一巻三二七頁以下、村松俊夫・民事裁判の研究二〇九頁以下、中務俊昌「唯一の証拠方法と民事訴訟における証拠調の範囲」法学論叢六〇巻一・二号二〇六頁以下(以下中務・前掲として引用)、岩松―兼子編・法律実務講座民事訴訟編四巻一七九頁以下(以下実務講座として引用)があり、特に後二者には大変お世話になつた。

一　判例理論の形成

一　予断による証拠申出の却下に関する判例の変遷

証拠力が薄弱であるとの予断によって証拠申出を却下することが違法であることは学説(後掲参照)の挙つて強調するところであるが、極く初期の大審院判例はこれを適法としていた。

【1】　上告銀行の被上告会社に対する貸金請求事件。債務者は被上告会社ではなくその理事江夏泰輔であるという理由で、一、二審とも上告銀行敗訴。上告銀行は原審が江夏泰輔の証人申請を却下したことを不法として上告。

「原院ハ既ニ江夏泰輔カ本件当事者間ノ係争事実ニ利害ノ関係ヲ有スル事実ヲ認メ而シテ同人カ出廷シテ甲第十号乃至十三号証ノ如ク供述スルモ尚ホ未タ之ニ信憑ヲ措ク能ハサルモノト判断シタルコト原判文中「甲第十号乃至第十三号証ハ江夏ノ私書ニシテ記載ノ事実ハ被控訴(被上告)会社ノ否認スル所ニ係リ甲第一、二号証署名上明カニ本件貸借ノ借主ナレハ云々江夏ニ於テ法廷ニ来リ該証記載ノ如ク確言スルモノトスルモ尚ホ未タ之ニ信憑ヲ措ク能ハサルモノトス」トアルニ依リテ明カナリ夫レ斯ク証人トシテ指名セラレタルモノカ当事者間ノ係争事実ニ利害ノ関係ヲ有シ而カモ其証言ノ信憑ス可カラサル事顕然タル場合ニ在リテモ尚ホ裁判所ハ其証人喚問ノ申請ヲ容サヽル可カラサル義務アルモノニ非ス故ニ仮令ヒ原院カ上告人言フ如ク証人喚問ノ申請ヲ採用セサリシモノトスルモ之ヲ以テ原判決ノ破毀ヲ求ムル理由ト為スニ足ラサルモノトス」(大判明二八・一一・一〇民録一・二六)。

【2】　貸金請求事件。上告人(被告)は被上告人(原告)が債権譲渡を受けた(?)訴外人から金員を受領したことを認めたが、右金員は訴外人に対する請負代金の内金として受領し、同人の依頼によつて借用証

(甲第一号証) を交付した旨抗弁。 その点の唯一の証拠方法として証人の喚問を申請したが、 原審はこれを却下し、上告人敗訴。

「案スルニ判決中証人一片ノ陳述ニ由リ甲第一号証ノ事実ハ之ナキモノト断言スルヲ得ストノ説明ニシテ若シ証人ノ証言ハ如何ナル場合ト雖トモ書証ヲ打消スノ力ナキモノトノ法律上ノ判断ナリトスレハ原裁判ハ不法タルヲ免レスト雖トモ原判文ヲ見ルニ(前略)控訴人ハ証人ヲ以テ甲第一号証ノ金員ハ実際借用シタルニアラスシテ請負金ノ内ニ受取リタルモノナルコトヲ証セント欲スル旨申立ツルモ前説明ノ如ク証人小沢武雄ノ申立及ヒ甲第一号証ノ被控訴人ノ手ニ存スル以上ハ仮令証人ニ於テ甲第一号証ノ金員ハ請負金トシテ受取リタルモノナルコトヲ申立ツルモ甲第一号証ハ純然タル借用金証書ニシテ該証中請負金トシテ受取ルカ如キ意味ノ記載ナキヲ以テ直ニ証人一片ノ陳述ニ由リ甲第一号証ノ事実ハ之レナキモノト断言スルヲ得ストアレハ其判旨ハ事実上右証人ノ証言ハ甲第一号証ニ記載スル事実ヲ抹消スルニ足ラストノ事ニテ即チ事実上ノ判定ナルコト明白ナリ而シテ原院ニ於テ仮令其証人出廷シ上告人所論ノ如キ陳述ヲ為スモ未タ以テ上告人ノ勝訴ト為ルヲ得サルコトノ心証ヲ得タル場合ニハ其証人ノ召喚ハ全ク無用ニ帰スル条理ナレハ唯一ノ証拠方法タルト否トニ拘ラス其証人召喚ノ申請ハ之ヲ採用セサルモ決シテ不法ニアラス」(大判明二九・一一・一九 民録二・一〇・一〇九)。

【3】 上告理由次のとおり。「上告人ハ原院ニ於テ……植田吉之助ヲ証人トシテ訊問スルコトヲ申請シタルニ原院カ同人ノ証言ハ信ヲ措キ難ク且ツ同人ノ証言ヲ以テ対抗シ得サルノ確証現存スルトノ理由ヲ以テ申請ヲ却下シタルハ不法ナリ証言ノ信否幷ニ其事実証明ノ効力ハ証人ヲ訊問シテ其陳述ヲ聴キタル上ニ定マルヘキコトハ論ヲ俟タス未タ証人ヲ訊問セス従テ如何ナル陳述ヲ為スヤ知ル可ラサルニ早ク既ニ其証言ハ信ヲ措キ難シト云ヒ其証言ヲ以テ対抗シ得サル確証現在スルト云フハ即チ法廷ニ現ハレサル証言ノ信否幷ニ効力ヲ判定シタル不法アルモノト信ス」

「……証人カ如何ナル陳述ヲ為スヤ分明ナラサル場合ニ在テハ其陳述ヲ聴キタル上ニアラサレハ其信用

スルニ足ルヤ否ヤヲ定メ得ヘカラサルコトハ上告論旨ノ如クナルモ本件ニ於テハ原院ハ上告人ノ申請ニ係ル証人植田吉之助カ出廷ノ上上告人所論ノ如キ陳述ヲ為スモ之ヲ信用シ能ハスト云フニ在リ換言スレハ証人ノ陳述スヘキ事柄ヲ予想シ其予想通リ上告人ニ利益ナル証言ヲ為スモノトスルモ之ニ信ヲ置キ難シト云フニ在リ此ノ如ク証人ノ陳述ヲ予想シ其信用スルニ足ラサルコトヲ定メ以テ証人訊問申請ノ当否ヲ判定スルハ決シテ不法ニアラス」（大判明三一・一・二〇民録四・一・一八）。

大審院は【4】の連合部判決によりその態度を改め、予断による証拠申出の却下を違法とし、【5】【6】【7】がこれを受け継いだ。

【4】　上告人は、「原院カ上告人（控訴人）ノ申請シタル人証（穴井藤作）ノ取調ヲ為サスシテ上告人ニ敗訴ノ判決ヲ為シタルハ二個ノ不法ヲ冤カレス第一控訴人カ乙一号成立ノ不正ヲ立証スル唯一ノ方法ヲ禁遏シタル不法アリ第二人証ノ取調ヲ為サスシテ予メ其信シ難キコトヲ予断シ之レヲ排斥シタルハ証拠ノ法則ニ違背シタル不法ヲ冤レス」として上告。

「原判決ヲ審査スルニ其理由ノ冒頭ニ「控訴人ハ乙第一号証ヲ否認シ且ツ穴井藤作ヲ証人トシ該証カ本訴提起後ニ新調セラレタルコトヲ証明セントスルモ若シ斯ノ如キ事実アリタレハトテ被控訴人ニ於テ容易ニ之レヲ口外ス可キニアラサルヲ以テ仮令控訴人カ証拠調ノ結果ヲ得即チ藤作カ其事実ヲ被控訴人ヨリ聞キタル旨証言セルニモセヨ信ヲ措キ難キ所アリ云々」ト説明シアリテ即チ原裁判所カ上告人所論ノ如ク予断ヲ以テ人証ノ申立ヲ排斥シ以テ本件ノ判決ヲ為シタルモノタルヤ明瞭ナリ案スルニ凡ソ人証ヲ以テ証明セントスル事実ニシテ信シ得可キヤ将タ否ラサルヤハ正ニ其証人ヲ訊問シテ供述ヲ聴キタル上心証ヲ以テ之ヲ決スヘキモノニシテ証人ヲ訊問セス徒ラニ予想ヲ以テ其証言ハ信シ難シト為シ人証ノ申立ヲ排斥スルカ如キハ証拠法則上許スヘキモノニアラストス然ルニ原裁判所ハ前掲ノ如ク斯ノ如キ事実ハ被控訴人ニ於テ容易ニ之レヲ口外ス可キニアラス仮令証人カ被控訴人ヨリ其事実ヲ聞キタル旨供述スルモ信シ難シト予定シテ上告人ノ人証

ノ申立ヲ排斥シ以テ本件ノ判決ヲ為シタルハ証拠ノ法則ニ違背シタルモノト云ハサルヲ得ス而シテ本件ハ前判例ト意見ヲ異ニスルヲ以テ聯合会審ヲ為シ已上ノ理由ヲ以テ原判決ハ破毀ス可キモノト評決ス」（大判明三二・一一・一民録五・一〇・一）。

【5】「按スルニ凡ソ証拠ハ人証タルト其他ノ証拠タルトニ論ナク親シク之ヲ見聞シ以テ其信用スルニ足ルヤ否ヤヲ定ムヘク之ヲ見聞セスシテ猥リニ憶断ヲ以テ其信憑力ヲ定ムルハ採証ノ原則ニ背戻スルモノトス然レハ訴訟当事者ヨリ人証ノ申立ヲ為シタルニ際シ之ヲ喚問セスシテ其証言ノ信用スルニ足ラサルコトヲ予断シ其申立ヲ排斥スルハ不当ト云ハサルヘカラス然リ而シテ上告人カ喚問ヲ申立テタル証人村松熊太郎ハ本件ニ付上告人ノ曲直如何ニ依リ利害ノ関係ヲ有スルモノトスルモ法律上必ス真実ノ陳述ヲ為ササルモノト予断スルヲ得サルニ依リ原院ニ於テ熊太郎カ利害関係者タルノ一事ヲ以テ其証言ノ信用スルニ足ラサルコトヲ憶断シ以テ人証ノ申立ヲ排斥シタルハ採証ノ法則ニ違背シタルモノニシテ上告其理由アリ」（大判明三二・一二・八民録五・一一・三五）。

【6】「依テ按スルニ凡ソ人証ヲ以テ証明セントスル事実ニシテ信用スルニ足ルヤ否ヤハ親シク其証人ヲ訊問シテ供述ヲ聴キタル上心証ヲ以テ之ヲ決スヘキモノニシテ証人ヲ訊問セス予メ想像ヲ為シ其証言ヲ信シ難シトシ人証ノ申立ヲ排斥スルカ如キハ証拠法上許スヘキモノニアラス而シテ本件ニ於テ上告人カ本件ノ地所ヲ耕作セシメ小作料ヲ取立テ居リシトノコトヲ証明センカ為メニ証人トシテ大木徳太郎ノ喚問ヲ申立テタル処原院ハ「控訴人（上告人）ハ大木某ノ喚問ヲ請求シ以テ小作料取立ノ事実ヲ認メントス慾スト雖モ此等一二ノ証人カ当廷ニ於テ仮令利益ノ証言ヲナスモ到底其証言ニ依リ前記認定ヲ翻スノ価値ナキモノ」ト認メ上告人ノ人証ノ申立ヲ排斥シタリ然ルニ上告人カ本件ニ於テ争フ所ノ趣旨ニ従フトキハ上告人カ小作料ヲ取立テ居タリシヤ否ヤハ判決ニ影響ヲ及ホスヘキモノナルニ以上ノ如ク人証ヲ排斥シテ本件ノ判決ヲ為シタルハ証拠ノ法則ニ違背シタルモノニシテ原判決ハ破毀ノ原因アルモノトス」（大判明三二・一二・一五民録五・一一・五九）。

【7】「按スルニ民事訴訟法第二百七十四条若シクハ同第二百十四条第二項（註、現一三九条）ニ相当スル場合ニ於テ当事者ノ申立テタル数多ノ証拠中其取調フヘキ限度ヲ定メ若シクハ時期ニ後レテ差出シタル証拠方法ヲ却下シ又ハ当事者カ証明セントスル事実ニ関係ナキ他ノ独立セル攻撃若シクハ防禦方法ニ基キ裁判ヲ為セハ足ルヘキ訴訟ナルトキ之レヲ不必要トシテ其証拠ヲ採用セサル場合ハ之レヲ格別トシ然ラサル已上ハ各当事者ノ提出セントスル証拠方法ハ毫モ偏傾スルコトナク之レヲ採用シテ其取調ヲ為スヘキハ訴訟上当然ノ手続ニシテ先キニ取調ヲ為シタル相手方ノ証拠ノミヲ偏信シ其反対ノ事実ヲ証明セントスル一方ノ証拠ハ取調ヲ為サス予断ヲ以テ信スルニ足ラスト為シ其証拠方法ヲ排斥スルカ如キハ採証上ノ法則トシテ決シテ許ササル所ナリトス然ルニ原裁判所ハ「被控訴人（上告人）ハ数年来治療ヲ為シタル医師渥田嘉吉郎ヲ証人トシテ市之助ノ病状等ヲ訊問シ老耄セサルノ証ト為ストノ申請アリト雖モ屢々診察シ治療ヲ為シタル証人伊福淳ニ於テ前述ノ如キ信用スヘキ証言アルヲ以テ被控訴人ノ申請ハ採用スルヲ要セス云々被控訴人カ若シ此ノ如キ必要ノ証拠アラハ前廷証拠調ノ際其申立ヲ為スヘキ筈ナリ然ルニ之ヲ為サス然レトモ今ニ至リ信スヘキ病床日誌等ノ書証ヲ提出シ併セテ訊問ヲ申請スルアラハ格別ナルモ唯口頭ニテ医師ノ証言ニ反対スルノ証言ヲ為サシメントノ申請ハ許スニ足ラス仮リニ之レヲ訊問シ証人カ老耄シタリト陳述スルモ其証言ハ採用スルニ足ラス」ト説明シ被上告人ノ申立ニ因リ先キニ取調タル証人ノ供述ノミヲ偏信シ上告人カ反対ノ事実ヲ証明セントスル人証ノ申立ハ書証ヲ提出シ之ト併セテ申請スルニ非サレハ仮令証明セントスル事実ヲ陳述スルモ採用スルニ足ラスト為シ予断ヲ以テ排斥シ之レカ取調ヲ為サヽルハ採証上ノ法則ニ違背シタル不法ノ裁判ナリトス」（大判明三三・一一・二二民録六・一〇・一〇八）。

ところが【7】を最後として予断による証拠申出却下の当否に関する判例は全く跡を絶つた。これは、その後裁判所が証拠申出却下の理由を判決書に説明せず、取調べなかつた証拠の申出を判決の事実摘示に記載しなくなつたためこの点を上告理由とすることが技術上困難になつたことにもよるが

（証拠申出却下の理由を判決に示す必要がないとし判例、大判明四四・三・四民録一七・九一、大判大七・九・五民録二四・一六〇七。却下した証拠申出を事実摘示に記載する必要はないとした判例、前掲大判大七・九・五、大判昭七・三・一八民集一一・三一二。却下した証拠申出も事実摘示に記載すべきであるがその記載を欠いても上告理由にならないとする判例、大判大二・五・八民録一九・三二〇、大判大九・三・四民録二六・二三八。雉本「証拠ノ取捨及ヒ事実ノ認定」諸問題六七六頁以下はこの取扱を極力非難する。なお現在の実務の取扱も同様で唯一の証拠方法を却下するときに限りその理由を説明している）、理論的には、明治三五年頃から後述の唯一の証拠方法に関する理論が、判例上ほぼ確立し、唯一であるか否かによつて証拠申出却下の当否を決定し、予断の有無を問題とする余地がなくなつたことが原因であつて（後述二の（二）掲記の判例参照）、前記【4】の連合部判決は、実質上変更されたものと考えるべきであろう。

二 唯一の証拠方法に関する判例理論の形成

（一） 初期の判例

一で取り上げたものを除き明治二八年から三五年までの判例で証拠申出却下の当否に関するものを次に掲げる（鑑定に関するものを除く）。

証拠申出却下を違法としたものは次のとおりである。

【8】 水路敷原状回復事件。被上告人（被告）は本件工事は村長の命令によつて行つた公共工事である旨抗弁し、村長のその旨の証明書（丙号証）を提出した。上告人は原審でその反対事実立証のため村長を証人として申出で、かつ現場の検証を申請したが、原審はいずれも却下。

「依テ一件記録ヲ査閲シ之ヲ案スルニ抑丙号証ナルモノハ上告人カ本訴提起ノ後即チ明治廿七年三月已降被告人ニ於テ目黒村々長鏑木一郎ノ証明ヲ受ケ以テ上告人ノ請求ニ対シ防禦ノ方法トシテ提出シタルモノニ係リ而シテ上告人ハ是ヨリ先キ村長ニ於テ本訴工事ノ着手ヲ命シタルコトナキ旨ノ証明書ヲ同村長鏑木一郎ヨリ申受ケアルヲ以テ丙号証ニ於ケル事実ハ総テ之ヲ認サル旨申立テ就中丙第二二号証ニ反対ノ事実ヲ証明セン為メ人証及ヒ臨検ノ証拠調ヲ申請シタル等ノ顛末ハ丙第一号乃至三号証甲第三号証及ヒ証拠調ノ申請書

原院ノ口頭弁論調書ニ徴シテ明カナリ然ラハ原院ハ上告人ノ右証拠調ノ申請ヲ排斥シ直チニ丙号証ノミヲ採テ以テ断案ノ証ト為スヲ得サル筋合ナリ何トナレハ丙号証中ニハ唯村長タル鏑木一郎ノ記憶セシ事項ヲ証明シタルニ止マリ法律上村長ノ資格ヲ以テ作リタル公正証書ト看做スコトヲ得サルモノアルノミナラス之ニ対シ上告人ヨリ反証ヲ挙ケントシテ唯一ノ証拠調ノ申出アリタル上ハ之ヲ排斥シテ被上告人一方ノ証拠即チ丙号証ノミニ基キ裁判ヲ為スヘキ条理ナケレハナリ然ルニ原院ハ上告人ノ証拠調ノ申請ハ不必用トシ採用セストノ決定ヲ言渡シ而シテ其判決ニ至テハ（中略）単ニ被上告人ノ丙号証ノミニ拠リ本訴ノ曲直ヲ断定シタルハ上告人所論ノ如ク不法ノ裁判タルヲ免カレス」（大判明二八・七・五民録一・一・五七）。

【9】　沖縄県の百姓地の売買譲与を禁止する慣例はその交換をも禁ずる趣旨であるか否かが争点となつた事案で、上告人は交換は慣例により禁ぜられてはいない旨主張し、その立証として沖縄県に対する照会を申請したところ、原審はこれを容れず上告人の主張を排斥した。上告人は「是レ当事者ノ証拠方法ヲ杜絶シテ主張ヲ否認シタル判決ナリ」として上告した。

「一件記録ニ依レハ上告人ハ本件沖縄県ニ於ケル百姓地ノ交換ハ禁止ノ限リニアラサル旨主張シ其慣例ノ存スル事実ヲ証セントシテ同県ニ照会アランコトノ申請ヲ為シタルコト及ヒ此申請ノ外他ニ其証明ノ具ナキコトモ亦明カナリ故ニ此場合ニ於テハ原裁判所ニ於テ先ツ其交換ニ付慣例ノ存否ヲ審究シ然ル後相当ノ判断ヲ下ス可キハ当然ノ筋合ナリトス況ンヤ（旧）民事訴訟法第二百十九条ノ規定アリテ地方慣習法ノ如キハ当事者ノ証明ヲ要スルモノタルノミナラス其証明ヲ要スルト否トニ拘ハラス裁判所ニ於テモ亦職権ヲ以テ必要ナル取調ヲ為スコトヲ得ヘキモノタルヲヤ然ルニ原裁判所ハ啻ニ上告人ノ申請ヲ容レサルノミナラス漫然百姓地ハ其売買譲与ヲ許サヽル沖縄県ノ慣例ナルヲ以テ其百姓地ノ交換モ亦許サヽルモノト推定シ其結果本件上告人ノ使用ニ係ル百姓地ヲ上告人所有ノ地所ト交換セントスル契約ハ固ヨリ無効ナリト断定シタルハ即チ上告人所論ノ如キ違法ノ判決タルヲ免レス」（大判明二九・九・三〇民録二・八・八五）。

【10】「上告人ハ被上告人カ分水権ヲ取得セシ原因其共有ニ係ル秣場ノ入会刈リヲ許容シタルニ在リ然ルニ地租改正ノ際被上告人ハ其曩ニ許容セシ秣場ノ入会刈リヲ拒絶シタルニ依リ上告人ニ於テモ亦右用水ノ分与ヲ止メタル旨主張シ此点ニ付テハ池田義記外一人ノ喚問ヲ申請シタル外他ニ挙証ノ具ナキコトハ原判決ノ已ニ認ムル所ナリ夫レ斯ノ如ク上告人カ為シタル証人ノ申請ハ唯一ノ証拠タルニモ拘ハラス原裁判所ハ其申請ヲ容レス而シテ「控訴人（上告人）カ秣場入会権ヲ得タル報酬トシテ分水権ヲ附与シタリトノ事ハ口頭拠ルナキ供述ノ外更ニ徴見スヘキ証拠ナキ故ニ控訴人カ此主張ハ未タ以テ分水ヲ差止ムルノ理由トナスニ足ラス」ト断定セシハ証拠ニ関スル訴訟手続上違法ノ判決タルヲ免レス」（大判明二九・一一・二〇民録二・一〇・一二〇）。

【11】被上告人が上告人の委託に従い株式取引所において株式の売買をなしたか否かが争点となった事案。

「今原記録ヲ閲スルニ第一審ニ於テ東京株式取引所理事長大江卓取引所員室尾慎作取引所書記渡辺享ヲ証人トシテ喚問ヲ乞ヒタルモ其判決ニ説明セラレタル如ク理事長ナレハ直接ニ売買ニ関係セス又ハ帳簿類ヲ取扱ハサレハ本件ノ売買ヲ知ラス又ハ数多キ本件ノ売買ヲ記憶セス等ノ供述ニ過キスシテ上告人申請ノ効果ヲ得サリシナリ乃チ上告人ハ第二審ニ於テ取引所理事伊藤幹一及ヒ左々田信次郎阿部鉄之助等ヲ証人トシテ訊問ヲ申請シタルニ原裁判所ハ判決ニ必要ナシトシテ之ヲ棄却シタリ而シテ其訊問事項タル本件ノ売買カ委託ノ如ク取引所ニ於テ為サレタルヤ否ヤニ在ルヤ証拠決定申請書ノ明記スル所ナリ然ルニ原裁判カ如斯ク本件ノ売買カ取引所ニ於テ為サザリシコトニ付テノ唯一ナル証拠決定ノ申請アルニ拘ハラス判決ニ必要ナシトシテ之ヲ杜絶シナカラ「取引所ニ於テ為ササルトノ立証ナキヲ以テ控訴人ノ請求ハ其理由ナキモノトス」云々判断シタルハ論告ノ如ク不法タルヲ免カレス彼ノ本人訊問ノ如キ已ニ第一審ニ於テ其申請ヲ許可セラレタルニ拘ハラス殆ント同一ノ理由ヲ以テ之レカ訊問ヲ請求シタルモノニ係レハ原裁判所カ之ヲ許可セサリシハ畢竟調フヘキ証拠ノ限度ヲ定メタルニ帰スヘキヲ以テ必シモ此申請ヲ許容セサルヘカラサル唯一ノ証拠方法ナ

リト云フ能ハサルモ之ヲ斥ケタル理由ニ至リテハ前文ト同シク判決ニ必要ナシト為シ而シテ立証ナシトシテ本件ノ請求ヲ棄却シタルニアレハ是亦不法ヲ免カレサルモノトス」（大判明三一・二・二四民録四・二・四八）。

【12】「上告人ハ原院ニ於テ本件公債証書ヲ野口末次郎ヨリ借リ受クル際同人ニ対シテハ金七百円ノ借用証書ヲ差入レ別途ノ貸借ト為シタレハ公債証書ノ所有権ハ上告人ニ移転シタリト主張シ而シテ此事実ヲ立証セン為メ野口末次郎ノ証人尋問ヲ申請シタルニ原院ハ之ヲ不必要トシテ採用セサリシコトハ共ニ口頭弁論調書ニ徴シテ明カナリ然ルニ原院ハ上告人ニ於テ本件公債証書ノ所有権カ自己ニ移転シタリトノ事実ヲ立証セスト為シ本件公債証書ノ所有権ハ却テ野口末次郎ニ在リテ上告人ニ在ラサル旨判定シ因リテ上告人ノ本訴請求ヲ排斥シタリ是レ上告人ノ立証ノ途ヲ杜絶シテ不当ニ事実ヲ確定シタル不法ノ裁判タルヲ免カレサルモノトス」（大判明三一・六・一四民録四・六・六四）。

【13】甲第五号証記載の取引が被上告人先代と上告人間の取引か被上告人先代と訴外浪花次郎間の取引かゞ争点となつた事案で、上告人は被上告人先代と浪花次郎間の取引であると主張し、その立証として同人作成の甲第七号証を提出したところ、被上告人がその成立を否認したので甲第七号証の成立等立証のため証人として浪花次郎を申請したが、原審はこれを却下して上告人の主張を排斥した。

「因テ記録ヲ閲スルニ明治三十年十一月十九日附ヲ以テ控訴代理人ヨリ原院ニ証人調ノ申請ヲ為シ浪花次郎ヲ証人トシテ甲第七号証ハ証人ヨリ控訴人（上告人）ニ送付シタル書面ナルヤ否及ヒ其事由如何ノ訊問ヲ求メタリ然ルニ原院ハ其申請ヲ却下シナカラ「前略縦シヤ甲五号証ノ㊂ハ浪花次郎ノ記号ナルニモセヨ控訴人ニ於テ他ニ明確ナル反証ヲ挙ケサル限リハ甲五号証ノ取引ハ実際控訴人ト賢普（註、被上告人先代）間ニ生シタルモノト認定セサルヲ得ス」トノ判断ヲ下シタルハ即チ上告人カ其主張ノ事実ヲ証明セムトスルヲ拒絶シテ却テ証明ヲ為サヽルヲ責ムルモノニシテ要スルニ原判決ハ法律ニ違背シテ事実ヲ確定シタルモノトス」（大判明三一・一〇・一一民録四・九・一八）。

【14】「………第一審裁判所ニ於ケル明治三十二年五月十三日ノ口頭弁論期日ニ於テ本件記録ニ編綴セル新闕席判決ノ外尚ホ其以前ニ一個ノ闕席判決アリシトノ事実ヲ証明センカ為メ本案記録ニ編綴セサル其口頭弁論調書及ヒ新闕席判決原本ノ取寄ヲ上告人カ原院ニ申請シタルニ原院ハ此申請ヲ排斥シ以テ原判文ニ（前略）乙第三号証ヲ提出シ且書類取寄及ヒ証人訊問ヲ申請スト雖モ一件記録中毫モ其事跡ノ見ルヘキモノナキノミナラス訴訟手続上斯ル事実ノ存在スヘキ理由ナキヲ以テ到底其主張ヲ信用スルヲ得スト説明シタルハ唯一ノ立証方法ヲ拒絶シタル違法ノ判決ニシテ上告ハ其理由アリ何トナレハ上告人ノ取寄ヲ申請シタル明治三十二年五月十三日ノ口頭弁論調書及ヒ新闕席判決原本ハ固ヨリ本件記録ニ編綴セル以外ノモノニ係ルヲ以テ本件記録中ニ其事跡ノ見ルヘキナキハ勿論ナルノミナラス裁判所ハ訴訟手続上絶対ニ錯誤ナキヲ保スヘカラサルモノナルカ故ニ本件記録ニ編綴セサル別箇ノ口頭弁論調書及ヒ新闕席判決原本ハ之レ有ル可ラサルモノト確信ス可ラサル道理ナルヲ以テ若シ之レ有リシニ於テハ上告人カ論告スルカ如ク本件記録ニ編綴セサル新闕席判決カ呼出時刻ノ以前ニ係ルニ於テハ上告人ハ其期日ニ懈怠ナカリシコトトナルカ故ニ其口頭弁論調書及ヒ新闕席判決原本ハ上告人カ其懈怠ナカリシコトヲ証明スル唯一ノ証拠方法ナルヲ以テ之ヲ許容セサル可カラサルモノタリ然ルヲ原院カ前顕ノ如ク本件記録ニ見ルヘキ事跡ナキノミナラス訴訟手続上斯ル事実ノ存在スヘキ理由ナシトノ説明ノミヲ以テ上告人ノ唯一ノ証拠調ノ申請ヲ排斥シ以テ本件控訴ヲ棄却シタルハ違法ナレハナリ」（大判明三三・六・三〇民録六・六・一七四）。

【15】「………普通ノ場合ニ於テハ同一ノ事実ヲ証スルカ為メ当事者ヨリ二個以上ノ数多ノ証拠ヲ申立テタルトキ裁判所カ其中取調フ可キモノヲ制限スルヲ得可キコトハ民事訴訟法第二百七十四条ニ規定スル所ナレトモ当事者カ第一審廷ニ於テ書証ヲ提出シ併セテ人証ノ申立ヲ為シタルモ証明ノ具ト為スニ足ラサル旨ヲ以テ排斥セラレ人証ハ之ヲ取調ヘスシテ請求ヲ棄却セラレタルヨリ人証ノ取調ナキコトヲ不服ノ理由トシ控訴ヲ為シタル場合ニ於テ控訴人カ第一審裁判所ニテ排斥セラレタル書証ノ外尚ホ第一審廷ニ申立テタルト同

一ノ人証ニ付キ証拠調ヲ申立テタルトキハ其人証ハ控訴審ニ於テ唯一ノ証拠ト云フコトヲ得可シ左レハ控訴審ハ此場合ニ当リ控訴人ノ申立テタル人証ヲ取調ヘタル上之カ判断ヲ為サヽル可カラス而シテ本件ニ付テハ第一審廷ニ於テ上告人カ主張ノ事実ヲ証スルカ為メ提出シタル甲第一二号証ヲ採用セラレス申立テタル証人工藤藤太郎神成西蔵石川源之進等ハ取調ヲ為サスシテ請求ヲ棄却セラレタルヨリ之ニ不服ヲ唱ヘ原院ニ控訴ヲ為シ右甲第一二号証ヲ提出シタル外尚ホ同一ノ証人ニ付証拠取調ノ申立ヲ為シタルニ原院カ控訴ヲ為スニ付テノ重ナル目的タル人証ノ取証ヲ為サス唯タ右ノ書証ノミ取調ヘ上告人ノ主張証明ナシトシテ以テ控訴ヲ棄却シタルハ法律カ当事者ニ許ルシタル立証方法ヲ恣マニ杜絶シ自ラ証明ヲ為サシメサルニ拘ハラス尚其証明ナシト論決シタルノ違法アルモノニシテ上告其理由アリ」（大判明三四・五・一民録七・五・一）。

【16】「……当事者ノ申出テタル数多ノ証拠中其調フ可キ限度ハ裁判所之ヲ定ムトハ民事訴訟法第二百七十四条ニ規定スル所ナリト雖モ個ハ是レ一ノ事実ヲ証明スル為メ数多ノ証拠申出ヲ為シタル場合ニ適用スルコトニ止マレリ而シテ本件ニ於テ上告人ハ原院カ被上告人ノ利益ノ証拠トシテ採用シタル証人松野直平ノ供述ヲ偽証ナリト主張シ其偽証ヲ証明スルカ為メ上告人ヨリ原院ニ対シ松野直平ヲ証人トシテ更ニ訊問セラレンコトノ申立及ヒ同人カ神戸地方裁判所ニ偽証ナルコトノ自首ヲ為シタル記録取寄ノ申立ヲ為シタルコトハ本件記録中ニ在ル其申立書及原院ノ法廷調書ニ依リ明瞭ニシテ上告人カ松野直平ノ証言ノ真実ニ非サルコトヲ証明スルモノハ以上ノ証拠ヲ除キ他ニ存セサルコトモ亦原院ノ法廷調書ニ依リテ明瞭ナリ去レハ原院カ松野直平ノ供述ヲ被上告人ノ利益ノ証拠トシテ採用セサル場合ニ於テハ格別本件ノ如ク其供述ヲ被上告人ノ利益ニ採用スルニ付テハ先ツ其前上告人ノ申立タル右証拠方法ヲ採用セサル可カラサルヤ勿論ナリ然ルニ原院カ以上ノ如ク上告人立証ノ途ヲ杜絶シテ其関係事実ヲ上告人ノ不利益ニ確定シタルハ違法ノ裁判タルヲ免カレサルモノトス」（大判明三五・三・一四民録八・三・三六）。

【17】「……裁判所ハ当事者ノ申立テタル数多ノ証拠中其調フヘキ限度ヲ定ムルコトヲ得ルモ当事者カ

唯一ノ証拠方法ヲ申立テタル場合ニ於テハ其申立ノ不適法ナラサル限リハ其申立ヲ却下シ挙証ナキ理由ヲ以テ其申立者ニ敗訴ノ裁判ヲ為スコトヲ得ヘキモノニ非ス原審ニ於テ上告人ハ乙第一号証ノ真正ニ成立シタル事実ヲ証明スル為メニ被上告町役場ヨリ証拠書類取寄アランコトノ申立ヲ為シ而シテ此申立ノ当時ニハ同一ノ事実ヲ証スル為メ他ニ何等証拠ノ申出ナク上告人カ証人二木ツネノ訊問ヲ申請シ又ハ乙第二号乃至第四号証ヲ提出シタルハ此証拠書類取寄申立ノ却下セラレタル後ニ係ルコトハ原審訴訟記録ニ徴シテ明瞭ナリ然ラハ則チ乙第一号証ノ果シテ真正ニ成立シタルヤ否ヤノ争点ニ付キテハ此証拠書類取寄ノ申立ハ唯一ノ立証方法タリシモノト謂ハサル可カラス然ルニ原審ハ其判文上明カナルカ如ク此取寄ノ申立ヲ却下シナカラ結局上告人ハ乙第一号証ノ真正ニ成立シタルコトヲ証明シ得サル理由ヲ以テ上告人ニ敗訴ノ裁判ヲ為シタルコトハ不法ナリトス」（大判明三五・五・一 五民録八・五・六二）。

証拠申出却下を適法としたものは次のとおりである。

【18】　相手方提出の書証（新乙号証）記載の反対事実を立証するため上告人が申出た証人を原審が却下し右書証によつて上告人を敗かした。上告人は唯一の証拠方法の却下であるとして上告。

「既ニ上告人自ラ第一点ノ論旨ニ謂ヘル如ク新乙号証ニ対スル反証トシテ新甲第三四号ノ書証ヲ提出シ而シテ仍ホ同一ノ事実ヲ証センカ為メニ更ニ人証ヲ申出テタルモノニシテ人証ハ唯一ノ防禦方法ニ非サリシコト明カナリ故ニ原裁判所カ本件ニ付キ証人訊問ノ申請ヲ許サヽリシハ民事訴訟法第二百七十四条第一項ノ規定ニ拠リ証拠調ノ限度ヲ定メタルモノト認メ得ヘキヲ以テ是亦原判決破毀ノ理由ト為スニ足ラサルモノトス」（大判明三八・三・二 六民録一一・二五九）。

【19】　「本件ノ如キ甲第一号証契約ノ成立如何ヲ証明スル為メ当事者双方ヨリ申立テタル証拠方法ノ数多アル場合ニ於テハ其全部ヲ調フヘキヤ又ハ其或ル部分ヲ調フヘキヤノ限度ハ裁判所ノ意見ヲ以テ之ヲ定ムヘキモノタリ……原院ハ上告人ノ申立タル数多ノ証拠中或ル部分ヲ調ヘ以テ判決ヲ言渡シタルモノナレハ原

判決ハ上告人所論ノ如キ不法ナシ」（大判明二九・二・一二民録二・二・三六）。

【20】被上告人の工事によつて灌漑用水が減少したか否かゞ争点である事案で、上告人申請の現場検証を原審が却下。上告人はその不当を攻撃して上告。

「一件記録ニ徴スルニ上告人ハ論所ノ位置及ヒ用水灌漑地ノ関係ヲ証スル為メ甲第一二三号証ヲ原院ニ提出シアリ左スレハ実地ノ検証ハ以テ本案ヲ断スルノ唯一ノ証拠方法ト見做ス可カラサルコト自ラ明瞭ナリ而シテ民事訴訟法第二百七十四条ニ依レハ当事者ノ申立タル数多ノ証拠中其取調フヘキ限度ヲ定ムコトハ裁判所ノ職権ニ属スルヲ以テ其限定ノ当否ヲ理由トシテ原判決ヲ非難スルコトヲ得ス」（大判明二九・三・二七民録二・三・一一二）。

【21】「上告人ハ本件当事者間ニ金員貸借ノ成立セシ事実ヲ証スル為メ已ニ甲第一二号証ヲ原裁判所ニ提出セリ左レハ同一事実ニ付証人ノ訊問ハ本案ヲ断スル唯一ノ証拠方法ト見做ス可カラサルヤ明瞭ナリ而シテ民事訴訟法第二百七十四条第一項ニ依レハ当事者ノ申立タル数多ノ証拠中其調フ可キ限度ヲ定ムルコトハ固ヨリ裁判所ノ職権ニ属スルヲ以テ其限定ノ当否ヲ理由トシテ原判決ヲ非難スルコトヲ得ス」（大判明三〇・一〇・一三民録三・九・四八）。

㈡　判例理論の形成　右各判例を通観すれば、「唯一の証拠方法」という用語は既に明治二八年（大審院判決録第一輯の発刊された年）から判例上使用されていたが、大体明治三五年頃までに唯一の証拠方法に関する判例理論が抽象的には形成されたことを知ることができる。これによればその骨子は、㈠「唯一の証拠方法の却下は違法である」㈡「唯一でない証拠申出の採否は裁判所の裁量に属する」という二命題から成り、後者が原則で前者が例外である。そして、その論拠は形式的には旧民訴二七四条一項の「当事者ノ申立テタル数多ノ証拠中其調フヘキ限度ハ裁判所之ヲ定ム」という規定の文理解釈であり、実質的には「立証の途を杜絶して立証なきを責めるのは違法である」ということである（特に前掲【16】【17】においてこの趣旨が明瞭である。なお【12】【13】が「唯一の証拠方法」という用語を用いず右の実質的論拠だけで説明していることに注意）。

右の時期の判例は一で述べた予断に基く証拠申出の却下は違法であるとする判例の系列と併行してなされ漸次これに取つて代つたものであつて、判例理論の論拠を知る上において重要なものを含んでいるが、その具体的の適用範囲についてはその後の判例による解明を待たねばならなず、特に証拠方法が唯一であるか否かの判定が緩やかである点においてその後の判例とは相当な距離がある。

（三）その後の判例　その後の判例は初期の判例によつて抽象的に形成された判例理論を承継し、その具体的な適用範囲を明かにする点でこれを発展させたが、判例理論自体の論拠について説明したものは殆どない。二以下で取上げるもののほか、判例理論を適用した判例を次に掲げる。

唯一の証拠方法の却下であるから違法であるとした大審院判例に次のものがある。大判昭四・三・二評論一八民訴一九三、大判昭六・三・三一裁判例五民三七、大判昭七・二・一七裁判例六民三一、大判昭七・七・二〇裁判例六民二二七、大判昭九・四・七裁判例八民八六、大判昭一一・一〇・二四裁判例一〇民二三九、大判昭一二・一二・一五裁判例一一民三〇七、大判昭一五・九・一四法学一〇・三・三二二。

唯一でない証拠申出の採否は裁判所の裁量に属する、或は唯一の証拠方法でないからその却下は違法でないとした大審院判例に次のものがある。大判明三九・一一・二四民録一二・一五五九、大判明四〇・三・二五民録一三・三四三、大判明四五・三・一三民録一八・一八五、大判大七・五・二五民録二四・一〇四七（一旦採用した後取消した例）、大判大八・一・二〇民録二五・二二（判示では明白でないが唯一でない証拠方法を却下した事案）、大判大一

五・七・一〇評論一五民法一〇九五、大判昭六・九・二六評論二〇諸法七一〇、大判昭六・一〇・一二新聞三三七五・七、大判昭七・三・一八民集一一・三一二、大判昭一〇・二・八評論二四民訴一八九（一旦採用した後取消した例）、大判昭一一・一・一八民集一五・一四、大判昭一七・一〇・二九法学一二・六・五二〇。

次の【22】は唯一でない証拠申出の採否が裁判所の裁量に属する理由を詳細に説明した判例として注目すべきものである。なお判示は無条件に裁判所の裁量に属するかのような表現を用いているが、事案は唯一でない証拠申出の却下に関するものである。

【22】債権消滅確認並抵当権設定登記抹消請求事件。上告人（原告）の弁済の有無が争点となつた事案。一審は上告人申請の証人三名を取調べたが、原審は上告人申請の証人を全然取調べないで上告人を敗訴させた。上告人は審理不尽、予断による証拠申出の却下を理由として上告。

「………心証と云ふも竟に程度の論に外ならず新なる証拠資料の提出せられたる結果已成の心証も或は覆ること有り得ると共に未成の心証も或は惹起さるること無きを保せず而も証拠は所謂共通なるが故に或当事者の提出したる証拠に依り却つてそれに不利益なる事実が認め得らるる以上裁判所としては固より爾く事実上の判断を為さざる可からざるは論無きところなるを以て専ら理論に終結するときは当事者の申出でたる証拠は其法律上影響無き事実に関するものを外にして其主証たると反証たるとを問はず尽く其取調を必要とすと云はざる可からざるのみならず或係争事実に付き裁判所は已に心証を得たるに拘らず尚且当該当事者より此点に対する証拠の申出を為したる場合と雖裁判所は又之を拒否するを得ずと云はざる可からざるに至らむなり何者其証拠調の結果裁判所の心証は或は翻さるゝやも亦固より知る可からざればなり夫れ此くの如くならむか当事者にして証拠の申出を絶たざる限り訴訟の終結は殆んど之を期し難きに至ると云ふも亦過言に非ず

法律の期図するところ夫れ豈爾らむや爾るが故に今或係争事実の存否は法律上当該判断に関係あるものなるに依り其立証を要す若くは爾らざるが故に爾らずと云ふ点は始めより法律問題に属すること論無しと雖心証そのものの関係に於て尚証拠調を為すの必要ありや否やと云ふことは結局個々の場合に於て裁判所の有する心証の程度に顧みて決せらるべき事実問題に外ならずんばあらず」（大判昭六・二・二一新聞三二四一・六）。

判例理論がその形式的論拠である旧民訴二七四条の廃止（大一五法六一）後も変更されなかつたのは、その実質的論拠である「立証の途を杜絶して立証なきを責めるのは違法である」との命題の正当性が承認されたからであろう。最高裁判所も大審院の判例理論を承継している。但し最高裁判所になつてからは唯一の証拠方法の却下であるから違法であるとしたものは一件もなく、唯一でない証拠申出の採否は裁判所の裁量に属するとしたものばかりである（これは現在の実務が当事者申出の証拠を原則として全部採用していることの反映である。なお最高裁判所の判例はこのほかに三で取上げる唯一の証拠方法であつても却下できるとの趣旨のものが比較的多数ある）。

【23】「原審に於ける証人中江小治郎の再訊問は、上告人がこれによつて証明しようとした事実又は重要な争点に関連する事実についての唯一の証拠方法ではないのであるから、その証人訊問申出での採否は原審の裁量権に属することであり、原審が本件で右証人の再訊問をしなかつたことを攻撃する本論旨も理由がない」（最判昭二三・九・一八裁判集民1・二九九）。

【24】「………証拠調の限度は、事実審たる原審の自由裁量に属するところであつて、原判決には所論のような違法はなく、………」（最判二六・一〇・一九裁判集民5・六四五）。

【25】「上告人が原審において申出た所論の各証拠方法がいわゆる唯一の証拠方法に当らないことは記録上明らかであり、かかる場合裁判所は当事者の申出でた証拠方法につき審理の経過から見て必要がないもの

と認めるときにはその取調を要しないのであつて、………」(最判昭二七・一二・二五 民集六・一二・一二四〇)。

【26】「原審が右期日において、さきに採用した上告人申請の証人山本常太郎の取調をしない旨宣して弁論を終結したものであることは、記録によつて明かであるが、同証人がいわゆる唯一の証拠にあたるものと認むべき資料はないから、この点に関する原審の措置もまた違法とはいい得ない」(最判昭二八・五・二九 民集七・五・六二三)。

(四)「唯一」の証拠方法の意味　証拠方法が「唯一」であるか否かは何を基準として考えるかによつて結論が異なるから、判例理論の内容を明かにするには判例が何を基準として「唯一」の証拠であるか否かを定めているかを検討する必要がある。

(1) 審級　初期の判例(前掲【11】【15】)には各審級を単位として唯一か否かを定めたものもあつたが、その後の判例は各審級を通じて唯一か否かを考えている(同旨、片山・三三二頁、実務講座一八四頁)。控訴審は続審であるからこの考え方の方が正当であろう。次の【27】では特にその点が明瞭である。

【27】上告人(被告)は一審で多数の証拠を提出して敗訴し、控訴審では同一争点につき一審では申請しなかつた証人四名を申請したが、原審は全然これを取調べず(内一名は一旦採用したが取調期日に出頭しなかつたので取消)控訴を棄却した。上告人は原審の措置を「控訴審存在ノ趣旨ヲ没却セルモノ」として上告。

「………所論ノ証人ハ唯一ノ証拠ニアラス而モ呼出ヲ受ケナカラ出頭セサリシ為原審ハ再度ノ呼出ヲ為スコトナク其ノ儘弁論ヲ終結シタルモノナルコト記録上明ナルヲ以テ原判決ニハ所論ノ如キ不法アルコトナク………」(大判昭七・四・一九 民集一一・六七一)。

唯一であるか否かは、一、二審を通じていうのであるから、審理中新たに追加された主張事実についての立証であつても従前取調べられた証拠と対比して唯一であるか否かを決すべきことになる。次の【28】は審理中に発生した新事実の立証に関するものである。

【28】 手形裏書人の所持人に対する執行異議事件で、審理中に手形振出人の債務につき消滅時効が完成したか否かが争点となつた事案。原審は上告人（原告、裏書人）が振出人に対する時効の起算日である支払命令送達の日を立証するために申出た証拠を却下。

「審理中ニ新事実発生シタル場合ニ於テモ事実発生前ニ取調ヘタル証拠ニシテ右事実ヲ判断スルニ足ルモノアルトキハ之ニ依リテ認定ヲ為スヲ妨ケサルモノナルヲ以テ其ノ後ニ新証拠調ノ申請アルトキハ事実審ハ之ヲ従前提出セラレタル証拠ト対照シ其ノ唯一ノ立証ニアラサル限リ自由ナル心証ヲ以テ其許否ヲ決シ得可キモノニシテ所論証人ニ関スル訊問事項ハ之ヲ原審提出ニ係ル其ノ他ノ証拠ト対照スルトキハ本件係争事実ニ関スル唯一ノ証拠ナリト云フ可カラサルカ故ニ論旨ハ其ノ理由ナキモノトス」（大判昭八・四・六評論二二商法二三六）。

逆に証拠申出却下当時は唯一の証拠であつたが後に同一争点につき他の証拠を取調べたときは、先の証拠申出の却下は違法でなくなるであろうか。初期の判例（前掲【17】）は証拠申出却下当時唯一の証拠であれば後に他の証拠を取調べても唯一の証拠方法の却下たるを失わないとしている。その後の判例にはこの点を明かにしたものはないが、後掲【92】が同様の事案につき同様の結論をとる理由として、後に取調べた証拠が私人の証明書であつて証拠能力がないものであることを説明しているところから推測すれば、後に証拠能力のある証拠を取調べていれば、前の証拠申出の却下は違法でなくなると解しているのではないかと思われる。

(2) 単位　唯一の証拠方法か否かは個々の争点を単位として定めるのであつて、同一当事者が前後唯一個の証拠方法の申出をなしたか否かによつて定めるのではない（後掲【33】参照。同旨、片山・三三一頁、実務講座一八四頁）。しかしその争点とは何を指すかは必ずしも明かでないが、判例は大体において主要事実の存否を考えているものと思われる（同旨、中務・二二九頁）。従つて間接事実については唯一の証拠であつても主要事実につき他に証拠を取調べてあれば、判例のいう唯一の証拠方法ではないことになる。次にこの趣旨を示した判例を挙げる。

【29】被後見人が後見人の財産管理の失当を理由として後見人に対し弁償金支払を請求した事件。上告人（原告、被後見人）は家格相当の教育を受けなかつたことの唯一の立証として萩田高之助、植村董太郎の証人尋問を申出たが、原審却下。

「上告人ハ原審ニ於テ後見人斉藤雄治ノ財産管理ノ失当ナルコトヲ証スル為数多ノ証拠ヲ提出シタルコト明ニシテ更ニ証人萩田高之助植村董太郎ノ証人訊問ヲ申請シタルハ結局同人ノ財産管理ノ失当ナルコトヲ証スルニ外ナラサルヲ以テ原院カ之ヲ却下シタルハ唯一ノ証拠方法ヲ排斥シタルモノト謂フヲ得ス」（大判昭二・二・六評論一七民法一一二）。

【30】裁判官に対する忌避申立の抗告事件で抗告人（忌避申立人）は裁判官が同人申請の唯一の証拠方法を却下したから裁判の公正を妨ぐべき事情があると主張して忌避の申立をした事案（らしい）。

「本件記録を通読してみるに、抗告人主張のように、証人兼藤良三郎、古立良の証言と鑑定の申請は、その立証事項のみについてみれば、唯一の証拠であるということは言い得るが、その立証事実はいわゆる間接事実で、抗告人が立証しようとする事実から、抗告人が本件の起訴前の和解について弁護士兼藤栄に代理権を付与したかどうかの主要事実を立証しようとしているのである。しかして右主要事実については、裁判官……は抗告人の申請により相当の証拠調をなしているのである。このような場合には、裁判官は間接事実について唯一の証拠方法であるからといつて、採用すると否とは、全くその判断に委せられていて、抗告人主張のように必ず取調べなければならないものではない」（東京高決昭二九・九・二一東京高時報五・一〇民二三〇）。

右のほか後掲【43】後段の判示もこの趣旨と思われるし、後掲【48】は補助事実たる証拠の信憑力を基準として唯一か否かを定めるべきではないという趣旨であろう。但し補助事実たる書証の成立についてはこれを基準として唯一の証拠か否かを定めた判例がある（後掲【51】）。

(3)　証拠の個数　唯一の証拠か否かは申出のあつた証拠の個数によつてきまるのではなく、或る争点につきその当事者申出の証拠が取調べられているか否かによつて定まる。即ち当事者が同一争点につき多数の証拠を申し出た場合、これを全部却下してその当事者の主張を排斥すれば唯一の証拠を却下したことになる（同旨、実務講座一八四頁）。これは判例理論の実質上の論拠が「立証の途を杜絶して立証なきを責めるのは違法である」ということにあることの当然の帰結である。この場合相手方提出の証拠でも自己の利益に援用したものは自ら申出た証拠と同視される。

【31】「然レトモ原審口頭弁論調書ヲ閲スルニ上告人ハ被上告人ノ提出ニ係ル新乙第一号乃至十五号証ヲ援用シテ本件係争工事ノ行政行為ニアラサルコトヲ立証スル旨ヲ申立テタルコト明白ナレハ上告人ノ申出テタル人証ハ唯一ノ立証方法ニアラス」（大判明四〇・二・二二民録一三・一四八）。

既に取調べた証拠の有無を決するにはその証拠方法の種類を問わないし（本人尋問に関する後掲【55】参照）、取調べた証拠を認定の資料に供したか否かも問題にならない。

【32】　上告人は原審で同一争点の立証のため書証と証人を申し出たが、原審は証人申請を却下し、書証は取調べたがこれを認定の資料としなかつた（上告理由の記載によれば「被上告人ニ於テ之ヲ争ヒタルニ付原院判決ニ於テモ該書証ヲ採用セサリシモノ」であるから書証の形式的証拠力を否定したためらしい）。上告

人は証人申請の却下を唯一の証拠方法の却下として上告。

「………上告人ノ申出テタル人証荘野芳吉ノ外甲第十六号証ノ一、二、三ヲ提出セルカ故ニ其書証ノ採用セラレサルニ拘ハラス上告人ノ申出テタル人証ハ唯一ノ証拠ト云フヲ得サレハ原院カ上告人ノ申出テタル証人ノ喚問ヲ許ササリシハ毫モ違法ナルコトナシ」（大判明四一・二・三民録一四・二九）。

しかし取調べた証拠は証拠能力のあるものでなければならないことは勿論で、後掲【92】はこの趣旨を明かにしたものであろう。しかし現在の判例は書証の証拠能力の制限を認めていない（大判昭一四・一一・二一民集一八・二五四五、最判昭二四・二・一民集三・二・二一等）から、問題とする余地がない。

二 判例理論の適用

一 序論

証拠申出の採否につき困難な問題が生ずるのは、裁判官の心証との関係で証拠申出の採否を決すべき場合であり、唯一の証拠方法に関する判例理論は本来この場合に処するためのものである。そこで先ず「唯一の証拠方法の却下は違法である」との命題と裁判官の心証との関係を概観する。

証拠の申出があつたときその立証事項に関する裁判官の心証は、(1)既に同一方向の心証を得ているか、(2)存否いずれとも心証を得ていないか、(3)既に反対方向の心証を得ているかの何れかである。(1)の場合はその証拠を取調べる必要のないことは勿論であつて、その証拠が本証であると反証であるとを問わない（民訴一八七条三項の場合でも既に同一方向の心証を得ているときは証人の再尋問をしなくてもよい。同旨、菊井＝村松・コンメンタール六〇五頁、村松・諸問題一九頁、中務・前掲一一九頁、反対、奥野＝三宅・解説四一頁）。

(2)の場合はその証拠を取調べないとすれば挙証責任の分配に従つて裁判をすることになるわけであるから、その証拠を申出た当事者が挙証責任を負わない場合、即ちその証拠が反証であるときは、これを取調べる必要のないこと(1)の場合と同様である。その当事者が挙証責任を負う場合、即ちその証拠が本証であるときに、これを全然取調べずに挙証責任の分配によつてその当事者に不利益を帰せしめる場合が判例のいう唯一の証拠方法の却下であり、「立証の途を杜絶して立証なきを責める」というのは元来は本証の申出を全部却下して挙証責任の分配によつて裁判することを指すのである。そしてこのことは弁論主義とは直接関係なく、存否いずれとも心証が得られないときに挙証責任の分配によつて裁判すべき場合にはすべて妥当するから、職権探知の行われる手続にも適用がある(後述五参照)。なお判例はこの場合については一切例外を認めない。

(3)の場合は主として相手方提出の本証により裁判官が主要事実存在の心証を得た後の反証の申出が問題になるが、相手方提出の反証により裁判官が主要事実不存在の心証を得た後の本証の申出が問題となることがある。判例はいずれの場合についてもその当事者申出の証拠を全部却下することは唯一の証拠方法の却下であり、立証の途を杜絶して立証なきを責めるものであるとするのである(後述二参照)。これは弁論主義の下では当事者申出の証拠方法のみを斟酌すべき拘束があるので、相手方提出の証拠のみで不利益な事実を認定することは公平を欠くし、事実認定の合理性を保障し得ないからである(兼子・体系二六四頁、中務・前掲二一二頁、実務講座一八四頁参照)。職権探知主義の下ではこのような拘束はなく、一般的に職権による証拠調が可能で、当事者の証拠申出は証拠の存在につき裁判所の注意を喚起する意味を有するに過ぎないから、当事者の一方の申出た証拠のみに基いて裁判しても当事者間の公平の問題を生じないし、職権による証拠調により他の証拠を必要としない程度の十分な心証が得られるのであるから、既に反対方向の心証を得た場合には当事者の申出た唯一の証拠方法を却下しても事実認定の合理性の保障に欠けるところはない（同旨、兼子・判民昭和四年度一七事件判批、内田修・民商二九・六・六一）。従つて職権探知の行われる手続ではこの場合に限り唯一の証拠の申出を却下することができるのである（職権により証拠調をなし得る場合でも弁論主義に対する補充的なものであるときは一般的な職権探知の場合と異なる。例えば、旧民訴一一七条の職権による鑑定、検証、民訴二六一条（昭二三法一四九により削除）による職権証拠調、民訴三三六条（旧民訴三六〇条）の職権による当事者本人尋問、行政事件訴訟特例法九条による職権証拠調。最後のものにつき最判昭二八・一二・二四民集七・一三・一六参照）。なお、判例はこの場合に限り右のほか間接証拠や鑑定、検証につき例外を認めている。

そこで先ず二で既に反対方向の心証を得た場合の判例を取上げ、三以下で「唯一の証拠方法の却下は違法である」との命題の具体的な適用及びその例外に関する判例を研究したい。

二　心証を得ている場合

（一）　反証

相手方申出の本証によつて既に主要事実の存在につき心証を得ている場合にこれに対する反証を全然取調べないことが違法であることは古くから大審院の判例によつて認められていた（前掲【13】【7】）。但しその理由については、立証の途を杜絶して立証なきを責めるのは違法であるとするもの（前掲【13】）と証拠力がないとの予断に基く証拠申出の却下は違法であるとするもの（前掲【7】）とがあつたが、前述のとおり後者の理論を承継する判例はなく、その後の判例は全部前者の理論と同一に帰する「唯一の証拠方法の却下は違法である」との命題によつてこれを説明している（【34】は「唯一の証拠方法」の語を用いていない）。

(1)　履行期延期の抗弁に対する反証を却下した例

【33】「………本件貸借関係ノ成立ハ原院ニ於テ当事者間ニ争ナク而シテ其債務ノ履行カ被上告人抗弁ノ如ク明治三十九年六月中ニ在リテ爾後四年間延期セラレタルヤ否ノ争点ニ付テハ被上告人ハ第一審証人矢島浦太郎関経雄及ヒ原審証人関清英ノ証言ヲ採用シテ之ヲ立証シタルヲ以テ上告人ハ其反証トシテ証人色部義太夫清水有国ノ訊問ヲ申請シタルコト原院法廷調書並ニ人証申請書ニ徴シテ明確ナリ而シテ上告人カ甲第一号証ヲ提出シタルハ之ニ依リテ債権ノ成立ヲ証シタルノミニシテ履行期限延期ノ契約ナカリシコトヲモ証シタルモノニ非サルコト亦同調書記載ノ如クナリ果シテ然ラハ原院カ右上告人ノ人証申請ヲ却下シナカラ被上告人ノ抗弁ヲ採用シタルハ上告論旨ノ如ク唯一ノ証拠方法ヲ杜絶シタル不法アルモノニシテ原判決ハ破毀スヘキモノトス」（大判明四二・一一・一二民録一五・八七四）。

(2) 民法九〇条違反の抗弁に対する反証を却下した例

【34】「仍テ原判決ヲ閲スルニ原審ハ本件小麦粉ノ取引ハ日清製粉会社ノ発表スル相場ノ最低ニ依リ差金ヲ授受スル目的ヲ以テ為サレタル無効ノ契約ナリトノ事実ヲ確定シタル上該取引ヨリ生シタル被上告人ノ債務ヲ目的トセル本件消費貸借契約モ亦無効タルコトヲ免レスト判定シ之ヲ理由トシテ上告人ノ請求ヲ棄却セシコト寔ニ所論ノ如ク、又原審ニ於ケル口頭弁論調書ニ依レハ上告人ハ原審ニ於テ右小麦粉ノ取引ハ現物授受ノ目的ヲ以テ為サレタル適法ノ契約ナルコトヲ主張シ其ノ立証ノ為所論ノ証拠申請ヲ為シ其ノ他ニ此ノ点ニ関スル証拠方法ヲ申出テサリシニ拘ラス原審ハ全部之レヲ却下セシコト明ナリ、然レトモ原審ニ於ケル口頭弁論調書及該証拠申請書ニ依レハ其ノ証拠申請ハ之ヲ不適法トスヘキ何等ノ理由ナク又右証拠調ハ前記係争事実ノ判断ニ全然必要ナキモノト謂フヲ得サルカ故ニ原審カ其ノ申請ヲ全部却下シ乍ラ叙上ノ如キ認定ヲ為シタルハ立証ノ途ヲ杜絶シテ不法ニ事実ヲ確定シタル違法アルモノニ シテ原判決ハ全部破毀ヲ免レス」（大判大一三・五・一五新聞二二七二・一七）。

(3) 債権者の交替による更改の主張に対する反証を却下した例

【35】「按スルニ原審ハ「被控訴人(上告人)ハ予テ訴外平野味噌株式会社及丸上味噌合資会社ニ対シ売掛代金債務ヲ負担シ居タルトコロ右当事者及訴外平野平助間ニ於テ該債務ヲ債権者平野平助トスル債権者ノ交替ニヨル更改ヲ為スト同時ニ旧債務ヲ以テ消費寄託ノ目的ト為シ本件ノ金九百三十二円五十六銭預ケ金債権ノ発生シタル」事実ヲ認定シ同事実ニ基キテ上告人ノ敗訴ノ判決ヲ為シタルモノナリ然ルニ原判決事実摘示並口頭弁論調書ニ依レハ叙上ノ事実ハ原審ニ於テ上告人ノ否認スルトコロニ依リ而カモ同事実ノ存在セサルコトヲ証明センカ為上告人ヨリ証人原田光ノ訊問ヲ求メタルトコロ他ニ之ニ関シ何等証拠ノ提出ナク所謂唯一ノ証拠方法タルニ拘ラス之ヲ取調フルコトナクシテ上告人ニ不利益ナル叙上ノ事実ヲ肯定シタルコト明ナリトス斯ノ如キハ重要ナル訴訟手続ニ違背シタルモノニ外ナラスシテ原判決ハ此ノ点ニ於テ破毀ヲ免レサルモノトス」(大判昭三・一二・一 九評論一八民訴八八)。

(4) 転貸の主張に対する反証を却下した例

【36】「……上告人会社カ本件賃借地上ノ建物ヲ他ニ貸与使用セシメ以テ其敷地ナル賃借地ヲ擅ニ他ニ転貸シタリトノ被上告人主張事実ハ上告人ニ於テ否認シタル所ナルニ第一審裁判所ハ被上告人ノ右主張事実ヲ肯認シ此認定ヲ覆ヘスニ足ル反証ナシトシ以テ上告人敗訴ノ判決ヲ為セルヲ以テ上告人ハ之ヲ不服トシテ控訴シ原審ニ於テ反証トシテ人証ノ申出ヲ為シタル処原審ハ其ノ人証ヲ不必要トシテ取調ヲ為サス其ノ儘弁論ヲ終結シ乍ラ第一審判決ト同一理由ニ依リ上告人敗訴ノ判決ヲ下シタルモノナルコトハ本件記録ニ徴シ明白ナリ斯ノ如キハ所謂唯一ノ証拠方為ヲ杜絶シ乍ラ立証ナキ責ヲ負ハシメタルモノト云ハサルヘカラス……」(大判昭六・六・二四 裁判例五民一二四)。

(5) 民法一一〇条の正当理由の主張に対する反証を却下した例

【37】「………上告人ハ原審ニ於テ被上告人カ仮ニ訴外安倍寛之ニシテ上告人ヲ代理シ被上告人トノ間ニ本件保証契約ヲ締結スヘキ権限ヲ有セサリシトスルモ被上告人ハ同人カ之ヲ有セリト信スヘキ正当ノ理由アリタルモノナリト主張シタルニ対シ右寛之ハ甲第一号証（保証人トシテ上告人ノ署名捺印アリ債権者ノ宛名ナカリシモノ）ニ債権者トシテ被上告人名義ヲ記入シ之ヲ被上告人ニ差入ルルノ際被上告人ニ対シ同号証ハ本来之ヲ以テ訴外藤田徳五郎ヨリ金借スヘキ手筈ナリシ処其ノ談調ハサリシ結果被上告人ヨリ金借スルモノナル旨ヲ告ケタル事実アルカ故ニ被上告人ハ応サニ上告人ニ対シ被上告人ヨリノ金借ニ付テモ尚保証ヲ為ス意思ナルヤ否ヤヲ確ムヘキ筈ナルニ拘ラス其ノ事無カリシモノナレハ被上告人ハ其ノ主張ノ如ク正当ノ理由ヲ有シタルモノト謂フヲ得スト主張シ右事実立証ノ為証人安倍寛之ノ訊問アラムコトヲ申出テタルコト及此ノ点ニ関シテハ他ニ何等証拠ノ提出モ援用モ為シ居ラサルコトハ原審口頭弁論調書ニ徴シ明白ナル所トス然レハ右証人ハ右主張事実ニ対スル上告人唯一ノ証拠方法ナリト謂ハサル可カラス然ルニ原審ハ其ノ取調ヲ為スコトヲ許サス而モ上告人ノ右主張事実ハ之ヲ認ムヘキ証拠ナシトシ以テ上告人ノ不利益ニ判決ヲ与ヘタルハ違法タルヲ免レス論旨理由アリ」（大判昭七・四・三〇裁判例六民一二八）。

(6)　所有権移転の主張に対する反証を却下した例

【38】「案スルニ上告人ハ原審ニ於テ被上告人主張ノ本訴物件ノ譲渡及使用貸借契約成立ノ事実ヲ否認シ之ト相容レサル担保契約ノ成立ヲ主張シ其ノ唯一ノ証拠方法トシテ証人山崎美朗ノ訊問ヲ申出テタルコト記録上明白ナリ然ルニ原裁判所ハ右証拠調ヲ為スニ付何等ノ障碍ナキニ拘ラス之カ取調ヲ為サスシテ右上告人主張ヲ否定シタルモノニシテ此ノ点ニ於テ原判決ハ唯一ノ証拠方法ノ申出ヲ無視シテ事実ヲ認定シタル違法アリ破毀ヲ免レス」（大判昭七・一〇・二八裁判例六民三〇七）。

(7)　連帯債務者間において一方が全責任を負う旨の特約成立の抗弁に対する反証を却下した例

【39】「按スルニ記録並原判決ノ理由ニ依レハ被上告人（控訴人被告）ハ第一審並原審ニ於テ被上告人カ上告人（被控訴人原告）ノ前主佐々木松太郎ト共ニ本訴連帯債務ヲ負担シタル当時該債務ニ付テハ松太郎カ全責任ヲ負ヒ被上告人ニ対シ何等ノ責任ヲ負ハシメサル旨ノ特約右両者間ニ成立シタル事実ヲ抗弁トシテ主張シ上告人之ヲ争ヒタルトコロ原審ハ被上告人ノ援用セル第一審証人島田善助池田むら第二審証人島田善助ノ証言ヲ綜合シテ右特約成立ノ事実ヲ認定スルト共ニ第一審証人赤沼トメノ証言ハ措信シ難ク其ノ他上告人ノ提出援用ニ係ル証拠ニ依ルモ該認定ヲ覆スニ足ラストナシ以テ上告人ノ本訴請求ヲ排斥シタルコト明ナリ然レトモ右赤沼トメノ証言其ノ他上告人ノ提出援用セル証拠ハ其ノ立証趣旨並内容ニ於テ被上告人主張ノ前記抗弁ニ対スル反証トシテ之ヲ提出援用セルモノトナスニ足ラス而シテ上告人ハ原審ニ於テ右反証トシテ証人三浦栄次郎、佐々木清次郎ノ訊問ヲ申出テタルニ拘ラス原審ハ該申出ヲ採用セスシテ審理ヲ終結シ而モ第一審トハ反対ニ前記抗弁ヲ認メタルモノナルコト記録及原判決並第一審判決ノ理由ニ徴シ明ナレハ斯ノ如キハ当事者カ相手方ノ抗弁ニ対スル反証トシテ提出セル証拠方法ノ申出全部ヲ排斥シテ相手ノ抗弁ヲ認容シタルモノニシテ畢竟唯一ノ証拠方法ヲ杜絶セルニ帰ス従テ原判決ハ重要ナル訴訟手続ニ違背シタル違法アリ」（大判昭一一・一一・二八裁判例一〇民二七一）。

(8) 時効中断の主張に対する反証を却下した例

【40】「按スルニ原審ニ於テ上告人カ大森元治ヲ証人トシテ訊問ノ申請ヲ為シタルニ拘ラス原裁判所ハ之カ取調ヲ為サスシテ判決ヲ為シタルコトハ本件記録上明白ナルトコロ右証拠申請ハ本訴債権ニ付キ主タル債務者大森元治ハ昭和八年中之カ承認ヲ為シ依テ時効中断シタリトノ被上告人ノ主張事実ニ対スル上告人ノ反証トシテ唯一且重要ナル証拠方法ナルコトハ亦記録ニ顕ハレタル弁論ノ経過ニ徴シ疑ナキトコロトス果シテ然ラハカカル証拠ノ取調ヲ為サスシテ上告人敗訴ノ判決ヲ為シタルハ違法タルヲ免レス」（大判昭一四・二・一〇評論二八民訴二八三）。

以上のとおり判例は唯一の反証の却下は違法であるとする点で一貫していたが、その後反対趣旨の判例が現われた。しかしこれは原審が民訴一三九条で証拠申出を却下し、大審院もこれを相当と認めた事案であるから、これによつて判例が変更されたと考えるべきではないであろう。

【41】「然レトモ原審ハ上告人カ主債務者小島広一ノ原判示債務ニ付被上告人主張ノ如キ保証ヲ為シタル事実ハ上告人カ正当ノ事由ナクシテ第一審ニ於テ本人訊問ノ為ニスル合式ノ呼出ニ応セサルヲ以テ訊問事項ニ関スル右保証債務ヲ負担セル旨ノ被上告人ノ主張事実ヲ全部真実ナリトスルコトニ依リテ之ヲ認定シ且ツ上告人カ原審ニ於テ予メ書面ヲ以テ為シタル原判示証人高橋忠治郎ノ訊問ノ申出ハ其ノ訊問事項ノ内容ト本件訴訟ノ経過トニ基キ上告人ノ重大ナル過失ニ因リ時機ニ後レタルモノニシテ之ヲ許スニ於テハ訴訟ノ完結ヲ遅延セシムルコト明ナリトシテ却下シタルコトハ原判文上明白ニシテ原審ノ右判定及措置ハ毫モ不当ナリト謂フコトヲ得ス而シテ上告人ノ右人証ノ申出ハ要スルニ原審ノ認メタル被上告人ノ主張事実ヲ否定スル趣旨ノ下ニ為サレタル単ナル反証ニ過キスシテ右主張事実以外ニ上告人ニ於テ主張セル新ナル独立ノ抗弁事実ニ関スル唯一ノ証拠方法トシテ為サレタルモノニ非サルカ故ニ原審カ之ヲ訊問セサリシトスルモ所論ノ如ク唯一ノ立証ヲ拒否シタル違法アリト云フヲ得ス」（大判昭一六・六・二一判決全集八・七六七）。

（二）　本証の場合　　反証は本証取調の後に取調べるのが原則であるが、実務上その順序が逆になることもないわけではない。特に当事者が控訴審に至つてはじめて抗弁を主張しこれを立証するための証拠（本証）を申出たときは、裁判所は既に相手方申出の他の立証事項に関する証拠によつて反対方向の心証を得ている場合がある。次の【42】はその場合抗弁事実立証のための証拠申出を全部却下したのを違法とした例である。

【42】「原審は本件係争の第一号田地及び第二号畑地は元上告人岩部の所有なりしところ被上告人は昭和十四年三月二十三日訴外寄木武男の仲介に依り右岩部より買受け之が所有権を取得し且寄木に所有権取得登記手続を依頼し置きたるところ同人は右委任の趣旨に反し不正の手段を以て同年七月十七日擅に同人自身が買受け其の所有権を取得したるものとして所有移転登記手続を経由したる事実を認定し右寄木は被上告人より右係争土地を買受けて所有権を取得し中間登記を省略して上告人岩部より直接登記を為したる旨の上告人大和市川並に榊原主張の抗弁を排斥したるものにして右抗弁排斥の趣旨は畢竟該主張事実に付ては其の立証の何等見るべきものなく却て他の証拠に依れば右寄木は不正に自己所有名義に登記を為したる事実を認むるに足ると謂ふに帰するものとす然るに本件記録に依れば上告人大和及び市川は第一審に於ては被上告人が昭和十四年三月二十五日本件係争の土地を上告人岩部より買受け其の所有権を取得したる事実及び右寄木武男の所有権取得登記は同人が擅に為したるものなる事実を争ひたるに止まり何等の抗弁を主張せざりしところ第二審に至り右上告人両名及び上告人榊原は第一審に於て争ひたる上掲の各事実を争はずして却て之を肯認し新しく抗弁として被上告人は右所有権を取得したる後日時及び原因は不明なるも訴外寄木武男に対し所有権を移転し右寄木は同年七月十七日中間の登記手続を省略し上告人岩部より直接所有権移転登記を受けたる旨主張し該抗弁事実を主張する為め証人福原正雄及峰宗三郎の訊問並に上記関係書類の送付嘱託を申出でたるところ原審は右申請全部を採用せずして直に口頭弁論を終結したる事実明かなり然れども右新主張は右上告人等の抗弁として之が主張を許容すべきものなる以上右証拠調の申請は右抗弁事実を立証せんが為めにする唯一の証拠なりと謂はざるべからず固より本件に於て原審は既に為したる証拠調の結果に依り右新抗弁事実と反対の事実即ち訴外寄木武男の不正手段に依る前顕所有権移転登記の事実を認定したるも之が為め右上告人等申請の証拠を以て唯一のものに非らずと解するを得ず蓋し右申請の証拠は右原審認定の事実と相反する事実の証拠なるを以て該証拠の取調を為し其の結果を得るに於ては右原審認定を動かすの心証を得るに至

るを保すべからざるを以てなり……然らば原審は右唯一の証拠の取調を拒否し直に口頭弁論を終結し右上告人等主張事実に付ては挙証なきの理由を以て右上告人等に敗訴を言渡したるものにして畢竟唯一の証拠方法を杜絶したる違法あるものと謂はざるを得ず」（大判昭一八・六・一〇法学一三・一・七〇）。

三　立証事項

（一）　間接事実　主要事実に直接向けられた証拠（直接証拠）と間接事実を立証事項とする証拠（間接証拠）とではその採否を決するに当り区別して取扱うべきであろうか。前述のとおり（一の二(四)(2)）判例は主要事実を基準として証拠方法が唯一であるか否かを決しているので、判例理論上この区別が問題となるのは間接証拠が主要事実を基準にしても唯一の証拠方法であるときだけであるが、この問題を正面から取扱つた判例はない。学説では「間接証拠は裁判所が主要事実につき既に心証を得ているときには取調を要しない」とする見解（加藤・判批二巻二〇一頁、中務・二一六頁(?)、実務講座一八六頁。なお、中島・日本民訴一三五五頁、菊井・講義三〇六頁は間接証拠は無条件で却下し得るとする趣旨と思われる）が有力であるが、前述二の反対方向の心証を得ている場合の直接証拠の取扱との均衡上、右の命題の正当性を無条件に承認することは困難である。間接証拠についてはその立証事項である間接事実から主要事実を推論する蓋然性の程度によつて証拠としての重要性又はその適、不適が問題になる点において理論上直接証拠と区別できるが、実際問題としてその蓋然性の程度は取調べてみなければわからないのが普通であり、直接証拠の証拠価値が間接証拠のそれ（右蓋然性を含めて）に一般的に優つているとはいえないし（実際上はその逆であることが稀ではない）、両者の区別自体必ずしも絶対的なものではないから、単に申出られた証拠が直接証拠であるか間接証拠であるかによつてその取扱を区別すべきではない（同旨、中務・前掲二一八頁注(八)）。従つて原則としては、間接証拠が（主要事実を基準として）唯一の証拠方法であるときは、直接証拠の場合と同様、心証を得ていないときであると既に反対方向の心証を得ているときであるとを問わず、裁判所はこれを取調べなければならない。しかし例外的には、既に取調べた（相手方申出の）証拠によつて得た心証に照らし、当該間接事実から主要事実を推論する蓋然性が全くないこと又は極めて微弱であることが明白であることがあり得る。この場合に限り間接証拠は唯一の証拠方法であつても取調を要しないものというべきである（これは専ら蓋然性を問題とする点において証拠力の予断とは異なるというべきであろう）。このことは、立証事項の存否が法律上裁判の結果に影響がない場合とは区別すべきである。両者とも証拠の重要性又は適、不適の問題として論ぜられることがあるが、前掲【22】が説くとおり、後者は本来法律問題であつて既成の心証とは無関係であるからである（これについては後述三の二(二)参照）。

次に唯一の証拠の場合ではないが既成の心証との関係で間接証拠の重要性を否定しその申出を却下し得る場合を示した判例を挙げる（なお、このほか右の場合の基準を示す判例として(二)で取上げる証拠の信憑力を争う証拠に関するものがある）。

【43】　小作米金請求事件で、上告人（買主）、被上告人（売主）間に明治三六年二月一三日代金四七〇〇円でなされた土地の売買契約が通謀虚偽の意思表示であるか否かが争点となつた事案。原審は被上告人申請の鑑定の結果により右土地の当時の価格は少くとも七〇〇〇円を下らないものと認定し、これにより右売買は通謀虚偽表示であると認めた。上告人は原審で右土地が明治二九年一月及び明治三三年一〇月にいずれも四七〇〇円で売買された事実を立証するため登記所から書類の取寄を申請したが却下されたので、右証拠申出は右の立証事項についての唯一の証拠方法であると主張して上告。

「然レトモ争点ノ判断ニ適切ナラサル証拠方法ハ仮令唯一ノモノト雖モ裁判所ハ之レカ取調ヲ為サヽルコ

トヲ得ルモノナリ而シテ原院ニ於テ甲第一二号証成立当時即チ明治三十六年二月頃ニ於ケル本訴地所ノ価格ニ付当事者間争アリテ上告人ハ四千七百円カ相当ナルコトヲ証明スル為メ書類ノ取寄ヲ申請シタルモノナレトモ其申請ニ係ル書類ハ孰レモ明治二十九年一月又ハ明治三十三年十月中ノ売買ニ関スルモノニテ明治三十六年二月頃ノ価格ヲ判断スルニ適切ノモノナラス原院カ上告人ノ申請ヲ容レサリシハ蓋シ之レカ為メニ外ナラサレハ敢テ之ヲ不法ト謂フヲ得ス加之上告人ハ甲第一号証成立当時ニ於ケル本訴地所ノ普通価格ヲ証明スル為メ甲第六号証ヲ提出シタルモノナレハ前示書類取寄ノ申請ハ唯一ノ証拠方法ニモ非スシテ本論旨ハ到底其理由ナシ」(大判明三八・一二・二六民録一一・一八六〇)。

右の判示自体は明治三六年二月の価格を立証するための同二九年一月、三三年一〇月の売買価格の立証を無条件で不適切であるとする趣旨のように読める。しかし過去の売買価格から後の一定時期の価格を推認することは勿論可能であるから、仮に何等かの事情で直接明治三六年二月の価格を立証する証拠がないときは、これらの証拠が不適切であるとはいえない。それ故右の判例の真の意味は、その事案に即して、明治三六年二月の価格を直接証明する証拠があり、これによって既に十分な心証を得たことを前提とするものと解さねばならない。

(二)　補助事実

(1)　証拠の信憑力　相手方の証拠の信用できないことを立証するための証拠(判例は相手方の証拠に対する「反証」と表現することもある)については初期の判例(前掲[16])にはそれが唯一の証拠方法であるときは却下できないとしたものがあった。しかしその後の判例は一貫して右のような証拠はたとえ唯一のものであっても必ずしも取調を要しないという態度をとっている。

【44】 貸金事件。債権者は被上告人（原告）の前主たる個人か、同人が役員をしていた（?）会社かが争点となつた事案。原審は右会社清算人宮原末太郎の証言により個人の債権と認めた。上告人（被告）は原審で、右個人が同人に対する横領被告事件の予審取調の際本件貸金債権は会社の金員であること（会社の代表者として貸付けたことではないことに注意）を自白した調書があることを指摘して右刑事記録の取寄を申請したが却下。

「依テ按スルニ当事者カ数多ノ証拠方法ヲ申出テタル場合ニ於テ其取調ヲ為スヘキ限度ハ事実裁判所職権ヲ以テ之ヲ定ムルコトハ民事訴訟法ノ明定スル所ナリ然レトモ争点事実ニ対スル証拠ニシテ唯一ノモノハ之ヲ排斥シナカラ其証明セントスル所ニ反対スル事実ヲ認定スルハ之ヲ不法ナリトスルハ本院判例ノ認ムル所ニシテ即チ其証拠ハ争点事実ニ対スルモノナラサルヘカラス否ラサルモノハ其証拠調申請ノ許否ハ勿論之ヲ斥ケタル後其立証趣旨ニ反対ノ事実認定ヲ下スモ総テ事実裁判所ノ職権ニ属スルコトハ論ヲ俟タサルナリ本論旨所論ノ証拠方法ハ証人宮原末太郎ノ証言ニ対スル反証ニシテ直接争点事実ニ対スルモノニアラサルコト明カナル故ニ仮令其反証トシテ唯一ナリトスルモ本院判例ノ所謂唯一ノ証拠方法ニアラス故ニ其証拠調ノ申請ヲ許否スルハ固ヨリ原院ノ職権ニ属シ随テ右末太郎ノ証言ノ採否モ亦其職権ニ属スルコト勿論ナレハ本論旨ハ上告適法ノ理由トナラス」（大判明三九・一〇・九民録一二・一一八〇）。

【45】 売掛代金請求事件。上告人（被告）が被上告人（原告）主張の代金支払義務を承認していたかどうかが争点となつた事案。原審は秋田某の別件証人尋問調書（甲五号証）を採用して同人が上告人方において代金支払を請求した際上告人はその支払義務を承認したと認めた。上告人は原審で右秋田が上告人方に来たという日時には上告人は遠方に宿泊していたことを立証するため宿泊先の主人の証人尋問を申請したが却下。

「依テ按スルニ証拠調ノ限度ヲ定ムルコトハ原院ノ職権ニ属スルコトハ論ヲ俟タス而シテ本院カ唯一ノ証

拠方法ナリトスルハ争点事実ニ直接ノ関係ヲ有スル唯一ノモノニシテ之レヲ排斥シナカラ其証明セントスル事実ニ反スル認定ヲ為シタル場合ニ限ルコトハ屢々判示スル所ナリ然ルニ本論旨所論ノ人証ハ甲第五号証ノ反論証タルニ外ナラスシテ単ニ同号証ノ採否ノ判断ニ関スルモノニ外ナラサルヲ以テ本院判例ノ所謂唯一ノ証拠方法ト云フニ該当セス」（大判明四〇・一・三一民録一三・二八）。

【46】　牛返還請求事件。事案の内容不明。

「然レトモ証拠調ノ申請ヲ許容セサルヲ不法トスルハ其証拠方法カ争ニ係ル本案ノ事実ヲ証明スル為メノモノニシテ而カモ唯一ノ方法タル場合ニ限ルヲ以テ相手方ノ提出シタル証拠ノ信用ス可カラサルコトヲ証スル為メ提出スル証拠方法ノ如キハ仮令唯一ノ場合ト雖モ之ヲ許容セサルモ違法ニ非ス而シテ上告人ノ証拠調申請ハ証人中島熊楠ノ証言カ信用スヘキモノニ非サルコトヲ証明スル為メノモノナルコト上告人ノ陳述ニ依リ明カナレハ原院カ其申請ヲ許容セサリシヲ以テ不法ト為ス可カラス」（大判明四二・二・四民録一五・三九）。

【47】　「然レトモ唯一ノ証拠方法トシテ証拠調ヲ為ササルヘカラサルハ其証拠方法カ直接争点事実ニ対スルモノナル場合ニシテ証人ノ証言ニ対スル反証ノ如キハ仮令反証トシテ唯一ナルニセヨ其証拠調申請ヲ許否スルハ事実裁判所ノ職権ニ属スルコト本院ノ判例（明治三十九年（オ）第二五七号同年十月九日言渡）トスル所ナリ而シテ上告人ハ第一審ニ於ケル証人山本良太郎ノ証言ノ信スヘカラサルコトヲ証スル為メ原審ニ於テ同証人ノ訊問ヲ申請シタルモノナレハ本院ノ所謂唯一ノ証拠方法ニ非サルカ故ニ原審カ其申請ヲ許容セサリシトテ之ヲ不法ト謂フヘカラス」（大判大五・七・一七民録二二・一四一五）。

【48】　「当事者の一方の提出したる証拠に対する反証は仮令唯一なる場合と雖必ずしも之を取調べざるべからざるものに非ず蓋し若し之を反対に解せんか其の反証に対する反証も亦取調べざるを得ざることとなり尽くる所を知らざるに至るべきを以てなり」（大判昭一〇・三・一四法学四・一〇・一三二八。実務講座一八五頁はこれを争点たる主要事実に対する反証に関する判例として引用しておられるが、「証拠に対する反証」という言葉を使用しているから証拠の信憑力に関する反証の意味であろうと思われる。なお上掲の判文は「法学」掲載の全文であって事案の内容、上告理由等一切不明）。

【49】「然レトモ相手方ノ提出セシ証拠ノ信用スヘカラサルコトヲ証明スル為提出シタル証拠方法(反証)ハ縦令唯一ノ場合ト雖之ヲ許容セサルコトヲ得ルコトハ夙ニ当院ノ判例トスル所ナルヲ以テ(明治四十一年(オ)第四八九号同四十二年二月四日言渡判決)原審カ証人田中亀造ノ証言及被上告本人ノ陳述ニ対スル反証トシテ上告人ノ提出シタル海保仙吉ノ証人訊問申請ヲ許容セサリシニ付所論ノ如キ違法ナク論旨ハ採用スルニ足ラス」(大判昭一一・五・二二新聞四〇〇九・九)。

【50】「所論屑テクス一貫五百匁は上告人が代金十五円を以て被上告人より買受けたるものにして其贈与を受けたるものにあらざることは原判決が証拠に依り之を認定したる処にして此点に関する証人城重雄の訊問申請は畢竟右証拠の措信す可らざることを証明すべき反証たるに過ぎず斯の如き場合右証拠は之が取調を為さざるも違法にあらざること夙に当院判例の示す処なり(明治四十一年(オ)第四百八十九号明治四十二年二月四日言渡判決参照)」(大判昭一二・一・一五法学六・四・五二一)。

判例理論のいう「証拠の信憑力を争う証拠は唯一の証拠であつても取調を要しない」との命題の一般的妥当性を承認することは困難であるし、判例の説く理由も首肯し難い(【48】は前述のとおり特定の証拠の信憑力を基準として証拠方法が唯一であるか否かを定めるべきでないことの理由を説明したものに過ぎない)。このような証拠は補助事実についての証拠であるが、これによつて例えば相手方申出の証人が特別の偏見を抱いていることを立証し、その証言の証拠力を減殺して相手方の立証を挫折させ得る点においては、主要事実に対する反証と区別する理由がないからである(中務・前掲二一八頁注(七)参照)。但し、このような証拠は、間接に主要事実の存否に向けられた証拠である点で反証たる間接証拠と性質を同じくし、実際上も両者を識別することは困難であるから、右判例理論は間接証拠一般の重要性に関するものと理解すべきであろう(三ケ月・法律学全集四二二頁は前掲【44】を間接証拠に関する判例として引用している。なお、実務講座一八五頁は証拠の信憑力を争う証拠と主要事実に対する反証たる直接証拠とが実際上識別し難いことを理由として右判例理論に疑問を提示している）。即ち判例理論のいう前記の命題は絶対的なものでなく、既成の心証の程度、立証事項から主要事実の存否を推論する蓋然性の程度によっては、証拠の信憑力を争う証拠でも唯一の証拠方法である限り取調を要する場合があり得るわけであって、前掲【16】の事案は正にこの場合に当るといえるであろう。

(2)　書証の成立　書証の成立を証するための唯一の証拠の申出を却下してその成立を否定するのは違法であるとするものが既に初期の判例の中にあった（前掲【13】【17】）。その後においても同趣旨の判例がある。しかしこれは、判例理論が主要事実を基準にして唯一の証拠か否かを定めていることから考えれば、当該書証が唯一の証拠方法である場合に限ると解すべきであろう（但しこの点は判例の事案からは明かでない）。

【51】「………原審ニ於ケル昭和三年四月二十三日ノ口頭弁論調書ニハ控訴人（上告人）ハ其ノ主張ヲ確ムル為在廷セル池田源之助ヲ証人トシテ又控訴人ノ親権者樋口モトヲ本人訊問ノ形式ニ於テ孰レモ事実関係ニ付訊問セラレタシト述ヘタル旨記載シアリテ上告人カ所論甲第三乃至五号証ノ成立ヲモ之ニヨリテ立証セントシタルモノト解セラルルニ拘ラス原審カ之ヲ採用セサリシコト明ナリ然ルニ一件記録ニ依レハ上告人カ原審ニ於テ前記甲号証ノ成立ヲ確メンカ為ニ申出テタル証拠方法ハ右ノ外ニ存在セサルカ故ニ原審カ其ノ訊問ヲ拒絶シナカラ所論ノ成立ヲ否定シタルハ立証ノ途ヲ杜絶シテ不利益ナル判断ヲ為シタル違法アルモノニシテ論旨ハ理由アリ」（大判昭四・二・二七評論一八民訴一九二）。

(三)　その他　意思表示の解釈につき必要な証明についても判例理論が妥当することはいうまでもない。次の【52】は株主総会決議の文言が二様に解し得る場合その解釈に必要な証拠申出を全部却下し挙証者の主張を排斥した場合に関する判例である。

【52】　臨時株主総会決議無効確認請求事件。

「案スルニ本件ニ於テハ昭和二年六月十二日上告会社ノ臨時株主総会ニ於テ第一審判決添付書面記載ノ文言ノ決議ヲ為シタル事実ハ当事者間ニ争ナキ所ニシテ被上告人ハ該決議ヲ以テ清算中ノ上告会社カ其ノ財産全部ヲ出資トシテ其株主中ノ或者ヲ発起人名義トシテ新株式会社ヲ設立セシメ其株式ヲ上告会社自ラ取得シテ其株主ニ分配スヘキ趣旨ナリト主張シ上告人ハ該決議ヲ以テ清算中ノ上告会社カ其財産全部ヲ矢崎高ニ売却シ同人ハ之ヲ現物出資トシテ新株式会社ヲ設立シ其得タル株式ヲ上告会社ニ対シ代金ノ代物弁済トシテ交付スヘク上告会社ハ其得ヘキ新会社ノ株式ヲ自己ノ株主ニ対シ払込金ニ応シテ分配スヘキ趣旨ニシテ即清算行為タル会社財産ノ換価及分配ノ方法ヲ決議シタルニ過キスト主張スルモノトス然ルニ右決議ノ文言ハ頗明確ナラサルモノアリ之ヲ被上告人主張ノ趣旨ニ解シ得ルカ如シト雖又之ヲ上告人主張ノ趣旨ニモ解シ得サルニ非ス従テ若シ上告人ヨリ主張ノ如キ趣旨ヲ以テ右文言ノ決議ノ為サレタル事実ヲ証スル為メ申出テタル証拠調カ其結果ヲ得タリトセハ右決議カ被上告人主張ノ趣旨ニ非スシテ上告人主張ノ趣旨ナル事実ヲ認メ得ヘキヤ論ヲ俟タス然ルニ原院ハ右決議カ其文言自体ニ依リテ被上告人主張ノ如キ趣旨ナルコト明確ニシテ之ヲ上告人主張ノ如キ趣旨ニ解スル能ハサルモノト為シ右決議ノ趣旨ニ関シ上告人カ其主張ヲ証スル為申出テタル証拠ハ一モ之ヲ取調フルコトナクシテ其主張ヲ排斥シタルコト記録及判文上明白ナリトス即原判決ハ右決議ノ文言ノミニ依リテハ直ニ上告人ノ主張ヲ否定シ得サルニ拘ラス其主張ヲ証スル為メ上告人ノ申出テタル唯一ノ証拠ヲ取調ヘスシテ其主張ヲ排斥シタル違法アルモノニシテ全部破毀ヲ免レス」（大判昭六・六・一九裁判例五民一一三）。

実体法上の要件事実のみならず訴訟上の要件事実を立証事項とする証拠の申出についても判例理論が適用される。次の判例はいずれも自白の撤回の要件事実立証のための証拠申出に関するものである。

【53】「………原審及第一審口頭弁論調書ニ依レハ上告人等ハ第一審ニ於テ甲第一号証中上告人等名下ノ印影ノ真正ナルコトヲ自白シタルモ原審ニ至リ右ノ自白ハ真実ニ反シ錯誤ニ基クモノナリトシテ之カ取消ヲ為シ右自白カ真実ニ反シ錯誤ニ依ルモノナル事実ヲ証スル為上告人等届出ノ印鑑簿ヲ所轄村役場ヨリ取寄アランコトヲ申出テタルモ原審ハ之ヲ排斥シタルモノナルコト明瞭ナリサレハ原審カ其ノ判決理由ニ於テ右ノ自白カ錯誤ニ因ルコトハ之ヲ認ムヘキ証拠ナキヲ以テ取消ハ無効ニシテ該自白ハ依然有効ナルカ故ニ之ニ依レハ甲第一号証ハ他ニ反証ナキ限リ真正ニ成立シタルモノト認メサルヘカラスト為シ同証ニ依リテ本件契約ノ成立ヲ確定シ仍テ上告人等敗訴ノ判決ヲ為シタルハ則チ其ノ唯一ノ証拠方法ヲ排斥シテ同人等ニ不利益ノ確定ヲ為シタル違法アルモノナリ………」(大判昭九・二・七裁判例八民一〇)。

【54】「………坪数ノ割合ニ依リ賃料ヲ定メタル本件土地ノ賃貸借ニ於テ被上告人ハ本件賃貸借ノ目的物地積ハ六十坪ナリト主張シ上告人ハ本件賃貸借地ノ中ニ官有地十七坪アルヲ以テ実際ノ借地坪数ハ四十三坪ニ過キスト抗争シタル争点ニ付原審ハ本件賃貸借ノ目的物タル土地ノ地積カ六十坪ナリトノ被上告人ノ主張事実ハ上告人ノ第一審ノ準備手続ニ於テ自白シタル所ニ係リ該自白ハ真実ニ符合セス且ツ錯誤ニ基キ為サレタリトノ上告人主張事実ハ何等立証ナキヲ以テ上告人ノ為シタル右自白ノ取消ハ許スヘキモノニアラスト為シ該自白ニ基キ本件賃貸借ノ目的物タル土地ハ六十坪ナル事実ヲ確定シタリ然レトモ上告人ハ原審ニ於テ前記自白ノ取消ニ付キ該自白カ真実ニ符合セス且錯誤ニ基キ為サレタモノナルコトヲ証スル為メ上告論旨第四点ニ列記セル証拠方法ノ申出ヲ為シタルコト訴訟記録上明瞭ナルニ拘ラス原審ハ之レヲ排斥シテ裁判ヲ為シタルモノナルカ故ニ上告人ノ唯一ノ証拠方法ヲ排斥シテ事実ヲ確定シタル違法アルモノト謂フヘク………」(大判昭一〇・三・一三裁判例九民六三)。

経験法則、慣習を立証するための証拠については四(三)鑑定の項参照。

四　証拠方法

唯一の証拠方法に関する判例理論は主として証人及び書証（特に書類の取寄）の申出について形成されたものであるが、他の証拠方法についてどのように適用されるかを明かにしよう。

（一）本人尋問　同一争点につきその当事者申出の他の証拠方法を取調べていれば、本人尋問は唯一の証拠方法ではない。

【55】上告人は「凡ソ当事者本人訊問ナル証拠方法ハ提出シタル許スヘキ証拠ヲ調ヘタル結果ニ付心証ヲ得ルニ足ラサル時ニ限リ許スヘキ証拠方法ナルニ依リ唯一ノ証拠方法タルヤ明カナリ」と主張。

「然レトモ証拠方法トシテ当事者本人ノ訊問ヲ為スハ裁判所カ当事者ノ提出シタル証拠ヲ取調ヘタル結果ニ因リ未タ係争事実ノ真否ニ付心証ヲ得ルニ至ラサルトキニ限リ之ヲ為スモノナレハ訊問申請ノ許否ハ他ノ許スヘキ総テノ証拠ヲ取調ヘタル後ニ於テ決スヘキモノニシテ其ノ証拠調ノ結果尚当事者カ其ノ事実上ノ主張ヲ立証スルニハ他ニ適法ノ方法ナキ場合ニ於テモ本人訊問ノ申請ハ唯一ノ証拠ニ非ス」（大判大一一・四・一八民集一・二〇八）。

同一争点につきその当事者申出の他の証拠方法を取調べていないときは本人尋問は唯一の証拠方法である。この場合裁判所が立証事項について存否いずれとも心証を得ていないのにかかわらず、本人尋問の申請を却下することは違法である。

【56】「上告人ハ原審ニ於テ其ノ抗弁事実ヲ立証スル為上告人ノ本人尋問ヲ申請シタルコト及上告人ハ原審ニ於テ他ニ何等ノ証拠ヲ提出セス右申請ハ唯一ノ証拠方法ナルコト原審口頭弁論調書ニ依リ明ナリ然ラハ原審ハ申請ノ不適法ナラサル限リ須ク之カ取調ヲ為シ其ノ措信シ得ルニ於テハ之ヲ判断ノ一資料ト為ササルヘカラサルニ事茲ニ出テス右申請ヲ却下シナカラ上告人主張ノ抗弁事実ヲ肯定スヘキ証左ナシト説示シ以テ

上告人ノ抗弁ヲ排斥シタルハ違法ニシテ本論旨ハ其ノ理由アリ」（大判大一五・一二・六民集五・七八一）。

【57】「上告人ハ原審ニ於テ当事者間ニ本件債権ヲ他ニ譲渡セサル旨ノ特約存スルコトヲ主張シ該抗弁事実ヲ立証スル為上告人ノ本人訊問ヲ申請シタルコト及右申請ハ該抗弁事実ニ付テノ唯一ノ証拠方法ナルコトハ原審口頭弁論調書及右申請書添付ノ訊問事項ノ記載ニ徴シテ明ナリ然ルニ右調書及記録中ノ診断書欠席届等ニ依リ明ナル如ク原審カ一旦上告人ノ本人訊問ヲ許可シタルモ同人カ病気ノ為其ノ訊問期日ニ欠席スルヤ右本人訊問ハ之ヲ為ササルコトトナシテ結審シ而モ判決ノ理由中ニハ上告人ハ前記ノ抗弁ヲ為スモ何等ノ立証ナキヲ以テ右抗弁ハ採用シ難キ旨ヲ説示シ以テ該主張ヲ排斥シタルハ違法……」（大判昭七・六・七裁判例六民一七九）。

【58】手形金請求事件で上告人（被告、振出人）は約束手形振出の原因関係がない旨抗弁。

「原判決ハ所論抗弁ニ付乙第一号証ノ一、二ニ依リテハ抗弁事実ヲ認メ得サル旨説明シ該抗弁ヲ排斥シタルモノナリ然レトモ本件記録ニ依レハ乙第一号証ノ一、二ハ孰レモ手形ニシテ右抗弁事実全部ノ立証トシテ提出セラレタルモノニ非ス上告人ハ之ト同時ニ其ノ補充トシテ証人外山茂及上告人本人ノ訊問ヲ求メタルモノニシテ原審ハ上告人本人ノ訊問ヲ留保シ先ツ証人外山茂ニ対シ呼出ノ手続ヲ採リタルモ送達不能ニ終リタル事実ヲ看取シ得ルヲ以テ此ノ場合ニ於ケル上告人本人ノ訊問ハ右抗弁ニ付唯一ノ証拠方法タルヲ失ハス然ルニ原審カ其ノ取調ヲ為サスシテ前記ノ如キ説明ノ下ニ上告人ノ抗弁ヲ排斥シタルハ違法ニシテ原判決ハ此ノ点ニ於テ到底破毀ヲ免レス」（大判昭九・二・二一裁判例八民二五）。

裁判所が既に反対方向の心証を得ている場合については判例はないが、本人尋問の補充性（民訴三三六条、旧民訴三六〇条）との関係で疑問がある。他の証拠により、既に心証が得られた場合は原則として本人尋問をすることができないからである。しかし、判例が反対方向の心証を得た場合でもなお唯一の証拠方法の却下を違法とする根拠である当事者間の公平ないし双方審尋の要請は本人尋問の補充性の要請に優越し、唯一の証拠方法であるときに限り既に心証を得た後でも本人の取調を要すると解すべきであろう。

(二)　鑑定　判例の大多数は、鑑定の申出は唯一の証拠方法であっても却下できる、としている。その理由は(一)鑑定は旧民訴一一七条により職権でもなし得ること、及び(二)鑑定は裁判官の考覈を補助するに過ぎないことであるが、(一)の職権による鑑定は弁論主義の補充に過ぎず職権探知主義の下における一般的な職権証拠調とは異なるから、鑑定を他の証拠方法と区別する理由とはならない(同旨、兼子・判民昭和四年度一七事件評釈参照)。(二)について更に説明を加えると、判例の趣旨は、鑑定の対象である法規、経験則(その適用を含む)については裁判所は訴訟外でもその知識を獲得することができるから、鑑定はこれを獲得する手段として補助的なものに過ぎない、というのである。そしてこのことは、法規については裁判官は専門家であることが期待されているので異論のないところであり、経験則については裁判官が専門家であることを期待されていないが、判例(大判昭八・一・三一民集一二・一・五一)は経験則自体の客観性、普遍性の故にこれを法規と同様に扱うべきものとし、通説もこれを承認している(岩松「経験則論」民事裁判の研究一四七頁以下、岩野「鑑定」訴訟と裁判三〇二頁以下、三ケ月・法律学全集三八五頁、実務講座三〇一頁、三〇七頁。反対、兼子・体系二四三頁以下。裁判官は経験則の専門家ではないから一般人の常識の範囲を越えるものについて専門家の鑑定によるべきであるとする)。従って右の判例理論は裁判所が既に他の手段によって法規、経験則についての知識を獲得している場合にのみ妥当し、裁判所がこれについての知識を有しない場合(即ち経験則の場合は係争事実につき心証を得られない場合)にはこの理由によって鑑定の申出を却下することはできないといわねばならない(同旨、実務講座一八六頁)。また法規、経験則以外を立証事項とする鑑定の申出(これについては、岩野・前掲二九〇頁以下、実務講座三〇一頁参照)については他の証拠方法の申出と区別する理由はないわけであるが、判例は慣習も経験則の一種とし（前掲、大判昭八・一・三一）、経験則と同様に扱う（しかしその当否は疑問である。兼子・右大判に対する評釈、判例民事訴訟法七二頁参照）。

最初に、裁判所が知識を有するときは鑑定の申出が唯一の証拠方法であつてもこれを却下できるとした判例を掲げる。この中には単に「必要と認めないときは……却下できる」と判旨するものもあるが、事案は裁判所が知識を有し心証を得ている場合であるから、「必要と認めないときは」というのは既に知識を有するため必要でないときの趣旨と解すべきものである。

【59】　筆蹟鑑定。貸金請求事件。原審は署名捺印については当事者間に争のない乙第一号証中「一金六百円也但シ本年一月二十五日付証券元利ノ内」とある部分の筆蹟は他の文詞の筆蹟と異なる旨の鑑定の結果を採用して上告人の六百円弁済の抗弁を排斥。上告人は原審が再鑑定の申出を却下したことを違法として上告。

「鑑定ハ人証書証ノ如キ証拠方法ト異ナリ裁判所ハ職権ヲ以テ命スルコトヲ得ヘキハ民事訴訟法第百十七条ニ規定スル所ノ如シ乃チ其性質必スシモ申立人ノ利益ニ帰セスシテ専ラ判事ノ心証ヲ補助スルノ具ニ過キサルヲ以テ当事者ノ申立アリトモ裁判所ハ必スシモ之レヲ命スルコトヲ要セス況ンヤ本件ハ已ニ第一審ニ於テ鑑定ヲ命シ相手方カ其結果ヲ援用シタルニ於テオヤ」（大判明三二・一・二六民録五・一・四七）。

【60】　墨色異同の鑑定。貸金請求事件。原審は多くの証拠により甲第一号証（借用証）の日附及び宛名は被上告人（被告）の前戸主が隠居後記入したものでその日附当時現実の貸借はなかつたと認定した。上告人は原審が右日附及び宛名も本文と同時に書入れられたものであることを立証するために上告人が申出た鑑定を却下したことを唯一の証拠方法の却下として上告。

「……鑑定ナルモノハ裁判官ノ考覈ヲ助クルニ過キサルモノニシテ他ノ証拠方法ト異ナルカ故ニ裁判官

ノ職権ヲ以テモ為シ得ヘキハ勿論鑑定ノ申請アリシトキト雖モ裁判官カ自カラ其係争ノ事項ニ付判断ヲ為シ得ヘクシテ申請ニ係ル鑑定方法ヲ必要ト認メサルトキハ特ニ其鑑定ノ手続ヲ為スノ義務ナシ故ニ原院カ上告人ノ申請ニ係ル鑑定方法ヲ却下シタルモ自カラ其判断ヲ為シタルモノナレハ之ヲ以テ唯一ノ立証方法ヲ拒絶シタル不法アリト云フヲ得サルモノトス」（大判明三三・一二・四民録六・一一・七）。

【61】　筆蹟印影鑑定。貸金請求事件。原審は被上告人（原告）申請の鑑定の結果を採用し甲第一号証の成立を認定した。上告人は原審が上告人の再鑑定申出を却下したことを違法として上告。

「鑑定ハ検証ト均シク其結果ハ常ニ必シモ之ヲ申立テタル者ノ利益ニ帰スルモノニ非ス故ニ他ノ証拠方法ト異ナリ裁判所ハ職権ヲ以テ之ヲ命スルヲ得ルコトハ民事訴訟法第百十七条ニ於テ明ニ之ヲ規定セリ其性質既ニ此ノ如クナルヲ以テ裁判所ハ鑑定ヲ必要トセサレハ仮令当事者ノ申立アルモ之ヲ排斥スルヲ得ヘキコトハ本院ノ判例ニ於テ既ニ是認スル所ノ法理ナリ況ヤ本訴ニ於テハ既ニ一回鑑定ヲ命シタルモノナルニ於テオヤ」（大判明三六・一二・一二民録九・一六六六）。

【62】　印影鑑定。地所明渡請求事件。借地料の支払を一ケ月でも怠つたときは直ちに土地を明渡す旨の特約を記載した書面（甲第一号証）の成立が争点となつた事案。

「按スルニ鑑定ハ他ノ証拠方法ト異ナリ或事項ヲ判断スルニ特別ナル知識ヲ要スルニ拘ハラス裁判官カ其知識ヲ有セサル場合ニ於テ裁判官ノ知識ノ不足ヲ補フ為メニ用ヰル方法ニ過キス鑑定ハ職権ヲ以テ之ヲ命スルコトヲ得ヘク（民事訴訟法第百十七条）鑑定人ノ選定及ヒ其員数ノ指定ハ受訴裁判所之ヲ為スヲ以テ普通トシ（民事訴訟法第三百二十四条）又裁判所ハ其意見ヲ以テ再ヒ鑑定ヲ為サシムルヲ得（民事訴訟法第三百三十条第四号）ルハ之レカ為メニ外ナラス左レハ裁判官カ自ラ或事項ヲ判断スルニ必要ナル知識ヲ具備セリト信スル場合即チ他人ノ補助ヲ要セスト信スル場合ニ於テハ仮令ヒ当事者ノ申出アルモ自己ノ知識ニ依テ判断ヲ為ス可ク鑑定ヲ命スルノ職責ヲ有セサルナリ故ニ原院カ甲第一号証ニ於ケル上告人ノ印影ト下谷区役所

ヨリ取寄セタル上告人ノ印影ト異ナラサルコトハ鑑定ヲ要セスシテ認ムルニ足レリト為シ上告人ノ申出テタル鑑定ヲ命セスシテ判決ヲ為シタルハ正当ニシテ上告其理由ナシ」（大判明三六・三・六民録九・二四二）。

【63】　生児が満月児であるか否かの鑑定。私生児認知請求事件。上告人（被告）が明治三七年三月一日被上告人（原告）の母と情を通じ、被上告人がそれから二五三日後である同年一一月八日出生した。原審は他の証拠により被控訴人は臨月（受胎後一〇月目）に至ったが早産術のため満日数（受胎後二八〇日）に至らずに出産したものと認定。上告人は生児（被上告人）が満月児（受胎後二八〇日を経て生れた子）であるとすれば上告人の子でないことが明かであるとして、生児が満月児であるか否か等の鑑定を申出たが、原審はこれを却下。上告人は唯一の証拠方法の却下として上告。

「然レトモ鑑定ハ裁判所カ之ヲ必要トスル場合ニ為サシムルモノニシテ裁判所ニ於テ必要トスルトキハ当事者ノ申立ナキトキト雖モ之ヲ命シ又必要トセサルトキハ当事者ノ申立アルモ其申立ヲ排斥スルコトヲ得ルモノナレハ原院カ上告人ノ鑑定申請ヲ却下シタレハトテ唯一ノ証拠方法ヲ排斥シタル不法アリト謂フヲ得ス」（大判明三九・五・一二民録一二・七二九）。

【64】　山林価格の鑑定。保証人に対する貸金請求事件。主債務者の弁済の資力の有無が争点となった事案。原審は鑑定の結果により主債務者所有山林の価格を認定。上告人（保証人）は右鑑定価格を低きに失すると主張して再鑑定を申出たが却下。

「按スルニ鑑定ハ裁判官ノ考覈ヲ助クルニ過キスシテ他ノ証拠方法ト異ナルカ故ニ之ヲ要スルト否トハ全ク裁判官ノ心証判断ニ属ス然レハ原院カ上告人ノ鑑定申請ヲ排斥シタレハトテ之ヲ批難シテ上告適法ノ理由ト為スヲ得ス」（大判明三九・一二・一五民録一二・一六五〇）。

【65】　筆蹟鑑定。甲第一号の日附の「三十六年」とある「六」の字が「一」の字を改竄したものか否かが争点となった事案（内容不明）。原審は鑑定の結果により改竄を認定し、上告人の再鑑定の申請を却下。

「鑑定ハ裁判所ノ考覈ヲ補助スルモノタルニ過キスシテ仮令当事者カ其申出ヲ為スモ裁判所カ必要ト認メサルトキハ之ヲ採用セサルコトヲ得ヘキモノナレハ原審カ甲第一号証ニ対スル上告人ノ再鑑定ノ申請ヲ却下シタルハ不法ニアラス」（大判大二・一二・一〇民録一九・一〇〇七）。

【66】 契約履行の能否の鑑定。木材の買主から売主に対する手附倍戻損害賠償請求事件。上告人（被告、売主）は、本件契約は売渡すべき木材の品質につき詳細に規定し、しかも一ケ月以内に二五〇枚を製材交付すべき契約であるから履行不能の事項を目的とする無効の契約であると抗弁し、その履行の能否につき鑑定を申請したが、原審はこれを却下し、他の証拠により上告人抗弁事実の不存在を認定した（らしい）。上告人は唯一の証拠方法の却下として上告。

「然レトモ上告人ハ甲第一号証ノ契約カ履行不能ノモノタルコトヲ証スル為メニ甲第一号証ヲ引用シタルコト口頭弁論調書ノ記載ニ依リ明白ナレハ同一事実ヲ証スル為メニ為シタル鑑定ノ申請ハ唯一ノ証拠方法ニ非サルコト多言ヲ要セサルノミナラス鑑定ハ裁判ヲ為スニ必要ナル智識ヲ補足スル為メノモノナレハ裁判官ニ於テ其智識ヲ備フルトキハ仮令当事者ノ申請アルモ鑑定ヲ為サシムルノ要ナシ」（大判大三・一一・九民録二〇・九〇七）。

【67】 書証の作成時期に関する鑑定。買戻の特約にもとずく所有権移転登記請求事件。原審は証拠により甲第一号証（契約）の成立の真正を認め、これによつて売買契約及び買戻の特約の成立を認めた。上告人（買主）は甲第一号証の成立を否認し、同号証が乙第一号証（内容不明）と同時に作成されたものではないことを立証するため鑑定を申請したが、却下。上告人は唯一の証拠方法の却下として上告。

「然レトモ鑑定ハ裁判所ノ考覈ヲ補助スルニ過キサルモノナルカ故ニ裁判所ニ於テ之ヲ要セスト認ムルトキハ之カ申請ヲ許容セサルモ不法ニ非ス而シテ此法則ハ鑑定カ事件ニ於ケル唯一ノ証拠方法タル場合ト否トニ於テ差異アルコトナシ」（大判大三・一二・一一民録二〇・一〇七六）。

【68】 慣習の鑑定。山林及び立木売買代金請求事件。山林の売買が詐欺によるものか否かが争点となつた

事案。原審は証拠により上告人（売主）の代理人が被上告人（買主）に対し木数書を示し係争山林には多数の杉、檜立木があるよう誤信させたものと認定し、詐欺を認めた。上告人は「和歌山県地方ニ於テハ山林ノ生立木ヲ土地ト共ニ売買セントスル場合ニ其木数書ナルモノヲ示ス如キハ単ニ売買ノ準備行為ニスキサルコト及ヒ伐採後木数書ヨリハ木数過少ナルモ売買ヲ解除シ或ハ代金減額等ノ請求ヲ為ササル慣習ノ有無」につき鑑定を申請したが、原審はこれを却下。上告人は唯一の証拠方法の却下として上告。

「鑑定ハ裁判所ノ考覈ヲ補助スルノ資料ニ過キサルカ故ニ裁判所ニ於テ之ヲ必要ナラスト認ムルトキハ其申請ヲ却下スルコトヲ得ヘク唯一ノ証拠方法タルト否トヲ問フコトナシ」（大判大七・六・一〇民録二四・一一一五）。

【69】　慣習の鑑定。造船（請負）契約の注文者が請負人に対し、引渡を受けた船舶が船体及び属具の瑕疵のため沈没したことによつて蒙つた損害の賠償を請求した事件。上告人（被告、請負人）は、「本件ハ被上告人（原告、注文者）ニ於テ造船監督者ヲ派遣シ且海事官検査済ノ船体及属具ニ付授受シタルモノナリ。斯ル場合ハ阪神地方ノ慣習トシテ右船体及属具ノ授受終了ト同時ニ引渡者ノ瑕疵担保ノ責任ハ消滅スルモノナリ」と主張し、右慣習の存否につき鑑定を申請した。原審はこれを採用し鑑定人を尋問したところ、鑑定人は属具に関する慣習の存否は知らないと答えたので、上告人は再鑑定を申請したが、原審はこれを却下し、右慣習の存在につき証左なしとして上告人の主張を排斥した。上告人は属具に関する慣習の存否は裁判所に明確ではなかつたのであるから、この点の唯一の証拠方法である再鑑定の申出を却下したのは違法であると上告。

「然レトモ鑑定ハ裁判所ノ智識ヲ補充スルモノナレハ裁判所ニシテ既ニ其ノ智識ヲ有スル以上当事者ヨリ為シタル鑑定ノ申請ハ縦令唯一ナル証拠方法ノ申立タル場合ト雖モ尚ホ之ヲ拒否シ得ルモノトス本件ニ於テ原審カ上告人ノ申請ニ因リ訊問シタル鑑定人永田由松ハ最初船体ニ付キテハ上告人主張ノ慣習アルモノノ如ク鑑定シタル後被控訴人代理人（被上告人）ノ求メニ因ル裁判長ノ問ニ対シ之ヲ翻シ其ノ慣習ナキモノノ如

ク供述シタルニ止マリ機械ニ付キテハ其ノ取扱ヲ為シタルコトナキカ故ニ慣習ノ存否ハ之ヲ知ラサル旨答弁シタリト雖モ上告人ノ原審ニ於ケル主張ハ昭和四年六月二十八日ノ口頭弁論調書ノ記載ニ依ル時ナル如ク属具及機器ニ付キテハ船体ニ関スルモノト異リタル特別ノ慣習アリト云フニ非スシテ其ノ全部ニ付同一ナル上告人主張ノ慣習行ハルト云フニ在ルモノナルカ故ニ叙上ノ鑑定ノミニ依ルモ上告人ノ主張スル慣習ハ全然存在セサルモノト認メ得サルニ非ス原審ハ即此ノ心証ヲ得タルカ為ニ最早慣習ノ存否ニ付キテハ証拠調ヲ為スノ必要ナシトシ上告人ヨリ更ニ為シタル所論ノ鑑定申請ヲ却下シタルモノト解スルヲ正当トスルカ故ニ原判決ニハ所論ノ違法ヲ生スルコトナク論旨ハ理由ナシ」（大判昭五・二・五裁判例四民三二）。

【70】 土地価格、地代の鑑定。法定地上権の地代支払義務確定請求事件。原審は被上告人（地上権者）申請の鑑定を採用し、上告人（土地所有者）申請の再鑑定を却下。

「……鑑定ハ裁判官ノ考覈ヲ助クルニ過キスシテ他ノ証拠方法ト異ナルヲ以テ之ヲ要スルト否ハ其ノ自由判断ニ属シ従テ裁判所ニ於テ之ヲ不必要ト認メタルトキハ唯一ノ証拠方法ト雖之ヲ排斥スルコトヲ得ルコトハ当院ノ判例トスル所ナリ（明治三十九年(オ)第五三七号同年十二月十五日大正七年(オ)第一八五号同年六月十日当院判決参照）故ニ原院カ上告人ノ為シタル鑑定ノ申出ヲ採用セサリシハ其ノ自由裁量ニ出テタルモノニシテ不法ニ非ス」（大判昭七・五・一六評論二一民訴一九四）。

【71】（鑑定事項、事案の内容不明）

「裁判所が鑑定の申出により証せんとする事実に付之れが鑑別を為す知識を有するときは鑑定の申出は仮に唯一の証拠方法なりとするも之れを排斥し得可きものにして其排斥を目して違法と云ふを得ず原審が上告人の鑑定の申出を排斥したるは鑑定事項に付原審が之れを鑑別する知識を有したるが為めに外ならざること原判決理由に対照すれば明かなるを以て此点に関する所論は採用するに足らず」（大判昭九・九・一二法学四・三・三五〇）。

【72】 慣習等の鑑定。不当利得金返還請求事件。

「当事者カ一定ノ事実ヲ証スル為メ鑑定ノ申出ヲ為シタリトスルモ裁判所ニ於テ其ノ鑑定事項ヲ自ラ判断スルコトヲ得ルモノト為ストキハ其ノ証拠ノ申出ヲ採用セサルコト勿論ナレハ原審カ所論ノ申出ヲ排斥シタルヲ目シテ違法ナリト云フヲ得ス」（大判昭一五・一一・七評論三〇民訴一三三）。

以上のほか、「必要と認めないときは……却下できる」とした判例に、大判明四二・五・六民録一五・四五六、大判大八・二・三民録二五・五三、大判昭三・六・二三新聞二八九〇・九、大判昭五・六・一八評論一九民訴二三一がある。

次に裁判所が知識を有しないのにかかわらず唯一の証拠方法たる鑑定の申出を却下したのは違法であるとした判例を挙げる。いずれも慣習の鑑定に関するものであることに注意すべきである。

【73】　商慣習の鑑定。債権調査会ニ於ケル異議申立事件。被上告人（銀行）は破産者振出の為替手形の支払を引受け、破産者から為替資金の担保として物品を差入れさせた。上告人（破産管財人）は右担保物が時々破産者に返戻された事実を根拠として被上告人が右為替手形につき支払つた金額は既に破産者において被上告人に支払ずみであると主張した。原審は上告人主張の商慣習の有無を不問に付して上告人の主張を排斥。

「上告人ハ明治三十六年五月二十二日証拠調ノ申請書ヲ提出シ受命判事ノ面前ニ於テ為替手形ノ支払ヲ承諾シタル銀行カ其支払ヲ為シタルモノトセハ振出人ヨリ為替資金ノ担保トシテ約束手形ニ添附シテ受取リタル物品ヲ現金又ハ小切手ヲ受取ラスシテ単ニ信用ノミヲ以テ振出人ニ返還スル商慣習ナキ事ヲ主張シ此商慣習ナキコトヲ鑑定セシメラレンコトヲ申請スヘキ旨ノ陳述ヲ為シ其後口頭弁論ノ際上告人ハ準備手続調書及証拠調申請書ニ基キ右ノ主張ヲ為シ且証拠調ノ申請ヲ為シタルニ原院ニ於テ之ヲ許容シ証拠調ヲ為サヽリシコト原院法廷調書ニ徴シテ明カナリ而シテ右証拠方法ハ上告人カ前顕事実ヲ証明セントスル唯一ノ証拠方法

タルコト是亦原院法廷調書及準備手続調書ニ依リ明確タリ左スレハ原院ニ於テ前略被控訴人ト常太郎（註、破産者）トノ間ニハ従前ヨリ取引アリタルモノニシテ且担保物タル縞物ノ如キハ季節ニ従ヒ融通スヘキ必要アルモノナレハ旁銀行ハ寛大ノ取計ヲ以テ一時ニ縞ノ引出ヲ許シタルモノト認ムト判定シタルハ上告人ニ対シテ唯一ナル証拠ノ提出ヲ拒絶シテ上告人カ主張セシ事実ト反対ノ事実アルコトヲ是認シタルモノニシテ民事訴訟法第二百七十四条規定ノ精神ニ違背シタルモノナルヲ以テ破毀ノ原由アル不法ノ判決ナリ」（大判明三八・六・二民録一一・八三六）。

【74】　劇場における俳優居室管理方法に関する慣習の有無の鑑定。賃貸人から賃借人に対する賃貸建物の火災による損害賠償請求事件。上告理由次のとおり。

「上告人（被告、賃借人）等ハ原審ニ於テ一ノ抗弁ヲ提出シ東都ノ大劇場ニ於テハ座頭俳優又ハ座附名俳優ヲシテ其ノ一室又ハ数室ヲ専用セシメ該俳優カ雇人ヲ使傭シテ之ヲ管理セシメ其ノ他ノ者ヲシテ猥ニ之ニ立入ルコトヲ得サラシムル慣習アリ而シテ被上告人（原告、賃貸人）ハ本件吾妻座カ其ノ大劇場ニ属シ且沢村訥子カ吾妻座座頭タル名俳優ニシテ本件賃貸借ニ付テモ右慣習ニ拠ルヘキモノナルコトヲ知悉シ賃借人タル上告人大谷竹次郎ニ対シテ右訥子居室ノ保管義務ヲ免除セルモノナルカ故ニ本件火災カ右訥子ノ居室ヨリ起リタリトスルモ右控訴人ニ過失ノ責ナキ旨ヲ主張シ且右慣習ノ存在ヲ立証スル為鑑定ノ申請ヲ為シタリ然ルニ原審ニ於テハ該鑑定ノ申請ヲ却下シ置キナカラ東都ノ大劇場ニ於テ控訴人等主張ノ如キ俳優居室管理方法ニ関スル慣習ノ存在スルコトヲ推知シ得ヘキ何等ノ証左ナシト為シ本件火災カ沢村訥子ノ居室ヨリ出テタル以上之ニ付上告人大谷竹次郎ニ過失ノ責アリト認メ以テ控訴ヲ棄却スル判決ヲ為シタリ然レトモ前示慣習ノ存在スルヤ否ヤハ上告人等（控訴人等）ノ申請ニ係ル鑑定ヲ採用シタル後ニ非サレハ之ヲ知ルコト能ハサルモノニシテ右ノ鑑定ハ此ノ慣習ノ存否ヲ明ニスルニ必要欠クヘカラサルモノトス……或ハ鑑定ハ裁判所ノ考覈ヲ補充スルモノタルニ過キサルヲ以テ当事者ノ申出アルモ裁判所ハ必要ト認メサルトキハ唯一ノ証拠方法タルト否トニ拘ラス之ヲ採用セサルコトヲ得ルモノトスル御院判例ノ存スルカ為原裁判所カ上告人等（控訴人等）ノ申請ニ係ル鑑定ヲ不要ト認メテ之ヲ採用セサルハ毫モ違法ニ非スト論スル者アラン然レトモ御院判例ハ裁判所カ当事者ノ申請ニ係ル鑑定ヲ不必要ト認メタル場合ニ限リ之ヲ採用セサルコトヲ得ル旨ヲ示シタルニ過キス而シテ右鑑定ノ必要ナルヤ否ヤハ固ヨリ裁判所カ職責ニ従ヒ事件ノ関係ニ照シテ之ヲ決スルコトヲ要スルモノト謂フヘク決シテ専断的ニ右鑑定ノ要不要ヲ決スヘキモノニ非サルコト論ヲ俟タサル所トス之ヲ要スルニ当事者ノ申請ニ係ル鑑定ハ裁判所カ鑑定事項ヲ判断スルニ足ルヘキ相当ノ智識ヲ有スル場合ヲ除ク外必要ナル限リ職責上必ス之ヲ採用スルコトヲ要スルモノト謂ハサルヘカラサルナリ……」

「依テ按スルニ凡ソ特定ノ慣習ノ存在ハ商慣習ナルト否トヲ問ハス之ヲ主張スル当事者ニ於テ立証シ得ヘキモノナルノミナラス裁判所モ亦職権上之ヲ調査シ得ヘク一定ノ慣習ノ存否裁判所ニ明確ナルトキハ固ヨリ之ニ対スル当事者ノ証拠方法ノ申出ハ採用スヘキ限リニアラスト雖其ノ存否明確ナラサルトキハ裁判所ハ須ク当事者ノ申出テタル証拠方法ヲ許容シ必要ナル場合ニハ職権ヲ以テ鑑定等ノ方法ニヨリ之ヲ調査スルコトヲ得ルモノナルカ故ニ当事者ノ申出タル唯一ノ証拠方法ヲ排斥シナカラ主張ノ慣習ノ存在ニ付之ヲ認ムヘキ証左ナシトシテ其ノ主張ヲ排斥スルカ如キハ違法タルヲ免レス……本件ニ付之ヲ観ルニ上告人ハ原審ニ於テ所論摘録ノ如キ慣習ノ存在スルコトヲ主張シ之カ唯一ノ立証トシテ鑑定ノ申出ヲ為シ原審カ右証拠調ノ申出ヲ排斥シタルコト原審口頭弁論調書ニ依リ明白ナルニ拘ラス原審カ所論摘録ノ如ク上告人主張ノ慣習ノ存在スルコトヲ推知シ得ヘキ何等ノ証左ナシト判示シ上告人ノ此ノ点ニ関スル主張ヲ排斥シタルハ違法ニシテ原判決ハ全部破毀ヲ免レス」（大判昭四・一〇・一五評論一八民訴四一八）。

しかしこの点は必ずしも判例が一貫しているとはいえない。次の【75】は原審が商慣習に関する上告人の鑑定申出を却下しながら、これを認めるに足りる証拠はないと判示して上告人の主張を排斥した場合であるのにその却下を適法とした例である（なお、前掲【69】も原判決は慣習の存在につき証左なしと判示した事案であるが、大審院は原審は慣習が存在しないとの心証を得たものと解して原審を救つた例である）。

【75】「然レトモ所論ノ商慣習ニ付テハ原判決ハ之ヲ認ムルニ足ル証左ナシトシテ排斥シタル所ニシテ又鑑定ハ裁判所ノ考覈ヲ補助スルモノニ過キサルヲ以テ裁判所ニ於テ必要ナシト認ムルトキハ唯一ノ証拠方法タルト否トニ拘ハラス其ノ申出ヲ採用セサルコトヲ得ルモノナルコトハ当院ノ夙ニ判例トスル所ナレハ（大正七年（オ）第一〇七八号同八年二月三日言渡判決参照）論旨ハ理由ナシ」（大判昭一五・六・二八民集一九・一〇八七）。

なお裁判所が心証を得ていないのにかかわらず鑑定の申出を却下した事案につき、その申出が唯一の証拠方法の申出でないことを理由として却下を適法とした判例もある（大判明四五・四・五民録一八・三四三）。最高裁判所になつてからこの問題を扱つた判例は次の一件だけである（但し後掲【95】も鑑定に関するものである）。

【76】「原審は、証拠により「繁は、昭和一四年五月頃より精神に異常を来たし、その頃家人の附添にて医師………の診察を受けた結果、早発性痴呆症の一種精神分裂病と判明し、以来自宅で静養したが、病勢は漸次昂進して、昭和一八年二、三月頃よりいちじるしく悪化し、家業たる農業の手伝いすら満足にできず、他人と面接することをきらい、寝床にふせりがちであつたが、遂に昭和一九年五月一六日千葉市花園町附近の総武本線路上で轢死したもので、結局、控訴人（上告人）との養子縁組の届出当時（昭和一九年二月一八日）は、痴呆状態で、養子縁組のような重大な身分上の法律行為の結果を弁識するだけの能力を有しなかつた」事実を認定したのであつて、原審挙示の証拠によれば、右各事実を十分認めることができる。………ところで、鑑定は、裁判官の知識を補助するものであるが、原審の認定したような繁の精神能力の有無の事実は、必ずしも専門家の鑑定をまたなければ判明しないことではないから、原審が、すでに他の証拠により、この点につき、十分なる心証を得た以上、所論の鑑定の申請を不必要として採用しなかつたのは、なんら違

法ではない」（最判昭二七・五・六裁判集6民五九九）。

これは裁判所が既に心証を得たときは鑑定の申出を却下できるとする点においては大審院の判例理論を承継したものといえるが、裁判所の心証の基礎となつた経験則が専門家の鑑定をまたなければ判明しないものであるときは（たとえ訴訟外において十分な知識を獲得できたとしても）、鑑定申出を採用せずに事実を認定することが違法となる場合があり得ることを示唆する点においては大審院の判例理論と相異する（むしろ前掲、兼子説に近い）。勿論これだけで最高裁判所が大審院の判例理論を修正したと考えることは早計であるが、将来の判例の動向を探る上においては一の参考となるであろう。

（三）　検証　大審院の判例は検証についても鑑定と同様裁判所が心証を得たときは唯一の証拠方法であつても却下できるとしている（前掲【61】、大判明四二・五・六も傍論として検証について触れている）。その理由は、（一）検証は旧民訴一一七条により職権でもなし得ること、及び（二）検証は裁判官の考覈を確める方法であることであるが、（一）が理由とならないことは鑑定について既に述べたとおりである。（二）についても判例は訴訟関係を明瞭ならしめるための検証（民訴一三一条四号）と混同しているのではないかと思われる（同旨、中務・前掲二二九頁注（二））。即ち特定の立証事項を目的としない検証（例えば裁判所に場所的関係の概観を知つてもらうためにする検証の申出）は正に判例のいう「裁判官の考覈を確める方法」に当り、その申出の採否は裁判所の自由裁量にまかされているといえるであろうが、特定の立証事項のためにする検証の申出は他の証拠の申出と区別する理由はない。

【77】　後掲【97】と同一事件。検証の必要のない事案である。

「凡ソ検証ナルモノハ他ノ証拠方法ト異ナリ審判官カ自働的ニ現物ヲ実検シ考覈ヲ確カムル方法ナレハ其

事実ヲ認定スルニ当リ検証ヲ為サヽレハ十分考覈ヲ得ヘカラスト認ムルトキハ申立ナキモ職権ヲ以テ之ヲ為シ得ルト同時ニ当事者ノ申立アルモ他ノ方法若クハ情況等ニ依リ十分ナル考覈ヲ得此上検証ヲ為スモ既ニ確カメタル考覈ヲ変スヘキ事情ナカルヘシト認ムルトキハ之ヲ為サヽルコトヲ得ヘキモノタリ」(大判明三六・六・一五民録九・七〇六)。

【78】 土管復旧水利権確認請求事件。原審は被上告人(被告)が当初の契約に違反して設けた水路を上告人(原告)等が黙認し、これを掲記した村役場備付図面に上告人の一人が記名捺印した事実を認め、上告人等が当初の契約による権利を放棄したものと認定した。上告人等は原審が上告人等において右図面の記載が真実に相違することを立証するため申請した検証を却下したことを不当として上告。

「……検証ナルモノハ裁判官カ自働的ニ現物ヲ実検シ考覈ヲ確ムル方法ナレハ係争ノ事実ヲ認定スルニ当リ自カラ検証ヲ必要ト認ムルトキハ職権ヲ以テ之ヲ為スコトヲ得ルト同時ニ其必要ヲ認メサルトキハ縦令ヒ当事者ノ申立アリト雖モ検証ヲ為サヽルコトヲ得ルモノニシテ此場合ニ於テハ此証拠方法カ当事者ノ為メ唯一ノ立証タルト否トヲ問ハサルモノトス」(大判明四〇・二・二二民録一三・一五五)。

【79】 土地明渡請求事件で、上告人(被告)は現在係争土地を占有していることを争い、明治三七年係争土地上の建物を訴外人に譲渡し爾来同人が本件土地を占有している旨抗弁し、この事実を立証するため現場検証を申請したが、原審はこれを却下し、他の証拠により右建物の譲渡は通謀虚偽表示であると認め、上告人が右建物を所有し係争土地を占有しているものと認定した。上告人は原審が検証の申請を却下したことを唯一の証拠方法の却下として上告。

「………上告人ノ此抗弁事実ヲ証セントスルモノハ独リ原院ニ於テ申出テタル検証ニ止マラス乙第十六号証モ同趣旨ノ立証ナルコトハ………ノ記載ニ徴シテ明瞭ナルヲ以テ検証ハ右事実ヲ証スル唯一ノ立証方法タラサルノミナラス検証ナルモノハ裁判官カ自働的ニ現物ヲ実検シ考覈ヲ確ムル方法ナレハ其事実ヲ認定スル

ニ当リ検証ヲ為ササレハ十分考覈ヲ得可カラスト認ムルトキハ職権ヲ以テ之ヲ為シ得ルト同時ニ当事者ノ申立アルモ他ノ証拠ニ依リ十分ナル考覈ヲ得更ニ検証ノ必要ヲ認メサルトキハ此立証方法カ当事者ノ為メ唯一ノ証拠タルニ拘ハラス検証ヲ為ササルコトヲ得ルモノトス」（大判明四一・三・二 民録一四・一七三）。

【80】　立木伐採による損害賠償請求事件で、被上告人（被告）が伐採した雑木生立の場所が上告人（原告）の所有地か被上告人の所有地かが争点となつた事案。原審は上告人の検証の申出を却下し、上告人の所有地ではないと判示した（但し上告人の所有地であることを認めるに足りる証拠がないとしたのか、積極的に上告人の所有地でないと認めたのかは不明）ので、上告人は唯一の証拠方法の却下として上告。

「……検証ハ裁判所カ必要ト認ムルトキハ職権ヲ以テ之ヲ為シ得ヘク縦令当事者ノ申請アルモ裁判所カ他ノ証拠ニ依リ十分ナル考覈ヲ得更ニ検証ノ必要ヲ認メサルトキハ其証拠方法カ当事者ノ為メ唯一ノ立証タルニ拘ハラス之ヲ許可セサルコトヲ得ルハ当院従来ノ判例トスル所ナレハ原審カ上告人ノ検証申請ヲ却下シタルハ其唯一ノ証拠方法タルト否トヲ問ハス相当ニシテ本論旨ハ理由ナシ」（大判大一〇・二・九 民録二七・二五二）。

【81】　建物明渡請求事件。上告人（被告）が係争建物を占有しているかどうかが争点になつたが、原審は被上告人（原告）提出の書証により上告人の占有の事実を認めた。

「……原審口頭弁論調書ニ依レハ被上告人ハ上告人白木唯彦ハ被上告人所有ノ東京市小石川区武島町十一番地所在㈠木造瓦トタン交葺平家建一棟建物登記簿上三十坪二合七勺七才実測三二坪八合五勺ノ内西南部分四坪九合一勺六才ヲ不法ニ占有セル旨主張シ右上告人ノ不法占有ノ事実立証ノ為メ甲第八号証ノ五ヲ提出シ上告人白木唯彦ハ右不法占有ノ事実ヲ否認シ之カ反証トシテ所論検証ノ申出ヲ為シタルコト明白ナリ而シテ原審挙示ノ甲第八号証ノ五ニ依レハ原審ノ如キ認定ヲ為シ得ラレサルニ非ス左レハ原審ハ前記書証ヲ以テ十分ナル考覈ヲ得タルヲ以テ上告人申請ノ検証ノ申出ヲ却下シタルモノニシテ仮令唯一ノ証拠方法ノ申請ナルニモセヨ原審カ之ヲ許容セサレハトテ論旨ノ如キ違法存スルモノト云フヲ得ス」（大判昭一四・九・二八 新聞四四八一・一〇）。

最高裁判所になつてからは特に検証の申出の採否について論じた判例はないが、次の【82】は、唯一の証拠方法ではない検証の申出を他の証拠の申出と同様に扱つている（なお、初期の判例【20】も同様である）。

【82】「また論旨は原審が現状の検証をしなかつたのは審理不尽であると主張するが、証拠調の限度は裁判所の自由裁量に委ねられているのであるから、原審が上告人の検証の申請を採用しなかつたからといつて審理不尽の違法があるということはできない」（最判昭二五・九・一五裁判集3民七三九）。

五　職権探知

判例は職権探知主義の下では唯一の証拠方法でも却下できるとしている。それが裁判官が既に反対方向の心証を得ている場合に限る趣旨か、存否何れとも心証を得ていない場合をも含む趣旨か必ずしも明かでないものもあるが、判例の主流は前者に限る趣旨と解すべきである（なお唯一の証拠方法の却下と弁論主義及び職権探知主義との関係については前述二の一参照）。

（一）　特許庁（局）の審判手続　　職権探知の行われる裁判手続としては特種なものであるが、特許庁（局）の審判手続についての判例が最も数が多いので、先ずこれを取り上げる。特許庁（局）の審判手続においては証拠の申出の採否は審判官の自由裁量に属することが古くから大審院の判例によつて認められていた。この趣旨の判例は相当多数あるが（これについては、内田修判批、民商二九・六五八参照）、判決録に登載されたものだけを次に挙げよう。

【83】　上告人（特許無効審判請求人？）は本件特許にかゝる方法が特許出願以前より公知に属することを立証するため証人三名を申請したが、特許局はこれを取調べず書面審理によつて上告人の主張を排斥した。

「特許法第三十三条（註、明三二法三六、「審判ハ正副二通ノ審判請求書ヲ以テ之ヲ請求スヘシ。審判請求書ニハ理由ヲ付スルコトヲ要ス。特許局ニ於テ審判請求書ヲ受理シタルトキハ其ノ副本ヲ被請求人ニ送付シ相当ノ期間ヲ指定シテ正副二通ノ答弁書ヲ差出サシムヘシ。特許局ハ必要ト認ムル場合ニ於テ期限ヲ付シテ更ニ請求人、被請求人ヨリ弁駁書、答弁書ヲ差出サシムルコトヲ得。審判長ハ職権又ハ当事者双方ノ申立ニ因リ口頭審判ヲ為スコトヲ得。口頭審判ハ公開スルモノトス。」）第三十四条（註、「請求人若ハ被請求人成規又ハ指定ノ期間内ニ答弁書若ハ弁駁書ヲ差出ササルトキ又ハ弁論期日ニ出頭セサルトキハ審判長ハ相手方ノ意見ヲ聴キ審判ヲ終結スルコトヲ得。」）及第三十一条（註、「特許局ノ審査、審判及報酬ノ決定ニ関シ必要アルトキハ特許局ハ当事者ノ申立ニ因リ証拠調ヲ為シ又ハ所要ノ事務ヲ取扱フヘキ地ノ区裁判所ニ証拠調ヲ嘱託スルコトヲ得。前項証拠調ニ関シテハ民事訴訟法第二編第一章第五節乃至第十一節ノ規定ヲ準用ス。」）等ノ規定ニ依レハ特許事件ノ審判請求ニ対スル審決ニ付テハ当事者ノ提出シタル書面ノミニ基キ審査ノ上審決ヲ為スヲ得ヘキコトハ一点ノ疑ヲ容レス当事者ノ申出タル証拠調ノ如キモ特許審判官ノ自由裁量ニ因リ許否ヲ決スヘキモノニシテ同法第三十一条第二項ノ規定ニ依リ民事訴訟法証拠調ニ関スル規定ヲ準用スヘキ場合ハ証拠調ヲ必要ナリトシ之ヲ命シタルトキニ限ルモノト謂フヘシ」（大判明四二・四・二七民録一五・四二二）。

【84】　上告人（登録商標権利確認審判被請求人？）は上告人の製品は薬品ではない（から被上告人の商標権の範囲に属しない）旨主張し、これを立証するため書証を提出したが、特許局はこれを取調べず上告人の主張を排斥した。

「………商標法第二十一条ニ依リ商標ノ審判ニ関シ準用スヘキ特許法（註、明四二法二三）第六十七条第一項ニ「審査又ハ再審査ニ関シ必要ナル場合ニ於テハ職権ヲ以テ又ハ当事者ノ申立ニ依リ証拠調ヲ為スコトヲ得」ト規定シ同第八十四条ニ依リ右第六十七条ノ規定ヲ審判及ビ抗告審ニ準用シアリテ抗告審判ニ必要ナル場合ニ於テハ当事者ノ申立テサル証拠ト雖モ職権ヲ以テ之ヲ取調ルコトヲ得ルト同時ニ仮令其申立アリト雖モ必要ナラスト認ムルトキハ全ク其取調ヲ為ササルコトヲ得ヘキコトハ右条文ノ解釈上明カニ之ヲ認ムルコトヲ得ヘシ而シテ乙第十号証ハ上告人ニ於テ其製品ハ薬品ニアラサルコトヲ立証セントスル方法ナルヲ以テ既ニ抗告審決ニ於テハ鑑定人ノ鑑定ノ結果ニ徴シテ右製品ノ薬品ニ属スヘキモノト認定シタルカ故ニ自然乙第十号証ハ之レカ取調ヲ為スヘキ必要ナシト為シタルモノナルコトハ右鑑定ノ結果ニ基キ本件事実ノ全般ヲ認メ之レニ反スル上告人ノ主張ハ理由ナキ旨ヲ判示セシニ依テ其趣旨ノ存スル所ヲ認ムルコトヲ得ヘク……」（大判明四三・六・二三民録一六・四八九）。

【85】 特許局は上告人（実用新案無効審判被請求人？）申出の証人を取調べず、「本件……実用新案ハ明治四十四年六月五日ノ出願ニシテ其登録請求範囲ニ記載セル所ノモノハ前示公知ノモノト同一ノ構造ヲ有スル物品ナルノミナラス……」と審決した。

「……特許局ハ実用新案ニ関スル抗告審判ニ於テモ必要ヲ認メサル場合ニハ当事者ノ申立アルニ拘ハラス証拠調ヲ為ササルコトヲ得ルハ之ニ準用スヘキ特許法第六十七条ノ法意ニ照シ明ナル所ナレハ其申立ヲ採用セサルニ対シテハ固ヨリ不服ヲ申立ツルコトヲ得ス」（大判大四・三・一二民録二一・二七三）。

右【83】【84】【85】は唯一の証拠方法を却下した事案であるかどうか明かでないので、唯一の証拠方法に関する判例理論との関係は必ずしも明かでなく、次の【86】のようにこれを前提としている判例もある。

【86】 「……上告人カ原審ニ於テ所論各証人ノ訊問ヲ求メタル趣旨ハ結局本件登録実用新案カ其登録出願前既ニ公知公用ニ属セルモノナルコトヲ立証センカ為メニ外ナラサルコトハ其訊問申請書ノ記載ニ徴シ明カニシテ同一趣旨ニ基ク証拠ハ既ニ甲第三号証第五号証乃至第九号証証人永尾福之助山下善吉ノ証言トシテ原審ニ顕出シタルモノナルコト記録上明白ナレハ所論証人訊問ハ本件ニ於ケル唯一ノ証拠ヲ以テ目スルヲ得

サルヲ以テ原審カ右訊問ノ申出ヲ採容セサリシハ不法ニ非サルノミナラス……」（大判大八・二・二七民録二五・三四六）。

大審院は次の【87】により特許庁（局）の審判事件においては唯一の証拠方法であっても却下できることを明かにした。

【87】　上告人（特許無効審判被請求人）は上告人が特許を有する撚糸機械は出願以前から公知公用のものである旨の被上告人（請求人）の主張を否認し、証人前田政治等の尋問を申請したが、特許局はこれを却下し、被上告人申出の証人木村兼次郎等の証言により被上告人の主張を認め特許無効の審決をした。

「……民事訴訟ニ在リテハ原則トシテ裁判所ハ当事者ノ申出テタル証拠ノミヲ斟酌スヘキモノナルカ故ニ係争事実ニ対スル判断ハ一ニ当事者ノ申出テタル証拠ノミニ依リテ決セラルルモノト云フヘク従テ当事者カ係争事実証明ノ為申出テタル唯一ノ証拠調ハ之ヲ排斥スルヲ許サスト雖特許ニ関スル審判事件ニ付テハ当該審判官ハ職権ヲ以テ証拠調ヲ為シ得ヘキモノニシテ（特許法第百条第一項）係争事実ニ対スル判断ハ敢テ当事者ノ申出テタル証拠ノミニ拘ラサルモノナルカ故ニ当該審判官ニシテ其ノ判断上必要ナリト思料シタル証拠調ハ当事者ノ申出ヲ俟タス進ンテ之ヲ為シ得ルト同時ニ必要ナラスト思料シタルトキハ仮令其ノ証拠カ係争事実ニ付唯一ノモノタル場合ニ於テモ之カ取調ヲ為ササルヲ得ヘキモノトス本件ニ付原審ハ証人木村兼次郎同尾埜好三ノ各供述ニ依リ係争事実ヲ判断スルニ足ルモノト認メ申請ニ係ル所論ノ各証人ハ之ヲ取調フル必要ナキモノトシテ其ノ申請ヲ却下シタルニ外ナラサレハ該人証カ上告人ノ為唯一ノ証拠方法ナリトスルモ右ノ却下ヲ以テ違法ナリト為スヲ得ス」（大判昭四・三・一六民集八・一八五）。

これは相手方申出の証拠により既に反対方向の心証を得た場合に関する判例であるから、まだ心証を得ていないときでも唯一の証拠方法を却下できる趣旨ではないと解すべきである。次の【88】は審判官がまだ心証を得ていないときに唯一の証拠方法を却下するのは違法であるとしている。

【88】「上告人は原審に於て同人は本件特許と同一方法による醤油醸造を計画し居りたるを以て本件請求に付利害関係ありと主張し此の事実を立証せんが為め其の計画を共にしたりと称する山中小兵衛を証人として訊問せんことを申請したるに原審は右人証の申出に対し上告人の謂ふ如くんば証人は上告人と共同の利害関係を有するが故に証人として訊問するを不適当なりとし其の申請を排斥し且何等此の点に関して証拠の取調を為さずして上告人の右主張事実は之を認むべき証拠なしと為し其の請求を却下したるものなり、然れども当事者と共同の利害関係を有すればとて法律上之を証人として訊問し得ざる理由なきのみならず記録に依れば右証人は当該事実を立証するに付唯一の証拠たること明にして特許法第百条第一項は審判に於ては申立に依り又は職権を以て証拠調を為すことを得と規定し同条項は当事者より申出たる唯一の証拠方法の如きは他の証拠により右事実に付既に心証を得たる場合に非ざる限り必ず之が取調を為すべく故なく之を却下し其の申請者に対し挙証なき理由を以て敗訴を言渡すが如きことを許さざる趣旨なりと解すべきを以て原審審決は証拠調に関する法則を無視したるの結果上告人の請求を却下するに至りたる違法あるに帰し破毀を免れざるものとす（昭和四年三月十六日当院が昭和三年(オ)第一一五二号事件に付言渡したる判決は本件に適切ならず）」（大判昭四・一二・二一同年(オ)八七七号、内田修判批、関西大学法学論集四・四・八三より）。

最高裁判所も大審院の判例を受継ぎ、審判官が既に心証を得ているときは唯一の証拠方法でも却下できるとしている。

【89】原審が「被告（註、上告人）はこの点につき特許法第百条第一項の規定を引いているが、右の規定は、審判においては、証人をして審判に出頭、証言せしめる等裁判所同様証拠調をすることができるという特許庁の権限を規定したもので、これを以て被告のいうように、証拠の申出の採否を審判官の自由にまかしたものというのは当らない。若し被告主張どおりとするならば審判官の恣意によつて、すべての証拠の申出

を拒否しながら審判請求を排斥するも違法でないということになるのであつて、その採るべからざることは殆ど自明であろう。」と説明して唯一の証拠方法を却下してなした特許庁の審決を取消したのに対し、上告人は右【87】の判例等を援用して上告。破棄差戻。

「民事訴訟では、裁判所は原則として当事者の申し出た証拠のみを斟酌すべきものであるから、係争事実に対する判断は当事者の申し出た証拠のみによつて決せられるものというべく、従つて当事者がその主張事実を立証するため申し出た唯一の証拠調は排斥することをゆるさないのであるが、特許法一〇〇条一項は「審判ニ於テハ申立ニ依リ又ハ職権ヲ以テ証拠調ヲ為スコトヲ得」と規定し、事実に関する判断については当事者の申し出た証拠に限らず、審判官が必要と認めた場合は、当事者の申出をまたず進んで証拠調をなし得ることにしている。右のように審判においては証拠調について職権主義を採用している以上、審判官が合理的に判断して十分の心証を得た場合は、当事者の申し出た唯一の証拠方法を却けても違法ではないと解するを相当とする。もとより審判官の審理がその恣意に基くものであつてはならないけれども、原判決が当事者の唯一の証拠を取り調べないでその当事者に不利な審決をしたことのみを違法として審決を取り消したのは、法律の解釈を誤つた違法があるものというべく、論旨は理由があり、原判決は破棄を免れない」(最判昭二八・七・二四民集七・七・八四〇)。

しかし右の判示は事案に適切であつたかどうか極めて疑問である。原判決(東京高判昭二六・六・九)の記載によれば、被上告人(原告)が特許標準局に同人が実施している擬革製造法は上告人(被告)の有する本件特許権の範囲に属しない旨の審判を請求したが、抗告審判の審判官は被上告人が「右方法を実施したものであるかどうかこれを認めることができないから右審判請求をするについて利害関係がない」との理由で被上告人の請求を却下する審決をなしたこと、被上告人が右事実を立証するため被上告人本人の尋問を申出たが抗告審判の審判官はこれを取調べずに審理を終結したことはいずれも記録に徴し明かであるとされている。そうとすれば本件は判示のいうような「審判官が合理的に判断して十分の心証を得た場合」ではなく、心証を得ていないのにかかわらず被上告人申出の唯一の証拠方法を却下し挙証責任の分配によって被上告人に不利益な審決をした場合であることが明かであるから、特許局の措置は職権探知主義の下でも唯一の証拠方法の却下として違法であるといわねばならないであろう(同旨、判批、内田修・民商二九・六・六二、関西大学法学論集四・四・七一、但し予断による証拠申出の却下として違法であるとされる)。

(二)　非訟事件、人事訴訟等　裁判所の手続につき職権探知主義と唯一の証拠方法の関係を明示した判例は非訟事件に関する次の【90】があるだけである。

【90】　親族会員選定決定に対する再抗告事件。

「………非訟事件ニ於テハ裁判所ハ職権ヲ以テ事実ノ探知及必要ト認ムル証拠調ヲ為スヘキモノナルコト非訟事件手続法第十一条ニ規定スル所ナレハ裁判所カ証拠ニ依リ或事実ノ認定ヲ為シ得ヘキトキハ当事者ノ申立テタル唯一ノ証拠方法ト雖モ必スシモ其証拠調ヲ為スコトヲ要セサルモノトス本件ニ於テ親族会員佐村佐蔵ハ金枝家ノ縁故者ナルコトハ原裁判所カ証人ノ証言ニ依リ確定セル所ナレハ抗告人ノ申出テタル証拠申請ヲ却下シテ判断ヲ為シタルハ違法ニ非サルヲ以テ本論旨ハ適法ノ理由ナシ」(大決大四・一二・一四民録二一・二一〇九)。

これは判示からも明かなように既に反対方向の心証を得た場合の判例であってまだ心証を得ない場合に関するものではないことに注意すべきである。なお【90】より前には破産手続(旧商法破産編による破産事件においても職権探知が行われたことにつき、加藤・破産法講義(大正一二年版)二七〇頁参照。なお現行破産法一一〇条二項参照)についてであるが反対趣旨と思われる判例があった。

【91】「………証人奥野梅吉及ヒ岩堀四郎吉ノ訊問ハ抗告人カ原審ニ於テ其商人ニ非サル事実主張ニ関スル唯一ノ証拠方法ト謂ハサルヲ得ス抑証拠調ノ限度ハ裁判所ノ裁量スルコトヲ得ル所ナレトモ唯一ノ証拠方法ナルヲ顧ミスシテ其取調ヲ為ササルカ如キハ其処置タルヤ重要ノ訴訟手続ニ違背シタル不法アルコトヲ免レス」（大決明四一・六・一六民録一四・七二九）。

競売法による競売手続につき、大審院判例は古くは非訟事件手続法を準用すべきであるとしたが、大決大二・六・一三（民録一九・四三六）以来その本質は非訟事件であるが性質の許す限り強制執行に関する民事訴訟法の規定を準用すべきものとしていることは周知のとおりである。次の【92】は右判例の傾向に従い、競売法による競売事件で口頭弁論を開いた場合には通常の民事訴訟におけると同様唯一の証拠方法の却下は違法であるとした。これは弁論主義の適用があると解したものと思われるが、裁判所が心証を得ていないのにかかわらず証拠申出を却下した場合に関するものであるから、職権探知をなすべきであると解しても結論は同一であろう。

【92】不動産競落許可決定に対する再抗告事件。

「………競売法ニ依ル不動産競売事件ニ付キ同法ニ規定ナキ場合ニ於テハ非訟事件手続法ノ規定ニ依ラス民事訴訟法ノ強制競売ニ関スル規定ヲ準用スヘキモノナルコトハ本院判例ノ認ムル所ナリ故ニ裁判所カ競売事件ノ審理ニ付キ口頭弁論ヲ命シタル場合ニ於テモ当事者ノ主張事実ノ立証ニ関シテハ裁判所カ非訟事件手続法ニ依リ職権ヲ以テ証拠調ヲ為スヘキモノニアラス民事訴訟法ノ証拠ニ関スル手続ニ依ルヘキモノト為スヲ相当トス然ルニ本件ニ付キ抗告人ハ原審ニ於テ本件消費貸借並ニ抵当権設定ノ契約ハ抗告人ノ後見人タリシ乾徳三郎カ親族会ノ同意ヲ得スシテ為シタル行為ナルコトヲ主張シ之カ立証トシテ証人松田嘉質及吉田秀次郎ノ訊問ヲ申請シタルニ拘ハラス原裁判所ハ此重要ナル争点ニ関スル抗告人ノ唯一ノ証拠調ノ申請（抗告

人ハ証人訊問ノ申請ト同時ニ書類取寄ノ申請ヲモ為シタルカ如キモ此申請タルヤ直接ニ右争点事実ノ証拠ト認ムルコトヲ得ス又証人訊問申請ヲ却下セラレタル後抗告人ハ直チニ甲第一、二号証トシテ証明書ヲ提出シタルカ如キモ元来一私人ノ証明書ハ何等ノ証拠力ナキモノトシテ之ヲ証拠トシテ提出スルモ全ク之ヲ提出セサルニ均シキモノト為スモノナルコトハ是亦本院判例ノ示ス所ナリ故ニ右争点事実ニ関シテハ証人訊問申請ノ外何等ノ証拠ナキモノト認ム）ヲ許容セス抗告人ノ請求ヲ排斥シタルハ証拠ニ関スル重要ナル手続ニ違背シタルモノニシテ本件抗告ハ其理由アルモノト謂ハサルヲ得ス」（大決大三・九・二九民録二〇・六八七）。

人事訴訟では婚姻事件・養子縁組事件でも全面的に職権探知をなし得る（人訴一四条・二六条・三一条。同旨、山木戸・人事訴訟手続法（法律学全集）一二〇頁。但し通説は婚姻事件、養子縁組事件については婚姻、養子縁組を維持するためにのみ片面的に職権探知をなし得るとする。山木戸・前掲所掲の文献参照。判例の態度は明かではないが後掲【93】は離婚事件につき全面的に職権探知をなし得ることを認める趣旨と思われる）から、人事訴訟に関し職権探知と唯一の証拠方法の関係を明示した判例はないが、判例理論としては非訟事件や特許庁の審判事件におけると同様既に反対方向の心証を得たときは唯一の証拠方法でも却下できるということになるであろう。これに反しまだ心証を得ていないのにかかわらず挙証責任を負う当事者の申出た証拠を全然取調べずその当事者に不利益な裁判をすることが違法であることは他の手続におけると同様である。次の【93】はこの趣旨を判示したものと解することができるであろう（なお、人訴三一条の職権証拠調の限度については、最判昭二九・一・二一民集八・一・八七参照）。

【93】　夫から妻に対する離婚請求事件。上告人（原告、控訴人）は原審において新たに主張した（間接）事実を立証するため書類の取寄、証人及び当事者本人の尋問を申請したが、原審はこれを全部却下して上告人の控訴を棄却した。上告人は唯一の証拠方法の却下として上告。大審院は原審の措置を唯一の証拠方法の却下であるとはしなかったが、職権探知主義の特殊性からこれを違法とした。

「原審口頭弁論調書並原判文ニヨレハ上告人ハ原審ニ於テ其ノ請求原因トスル重大ナル侮辱ノ具体的事実トシテ第一審ニ於テ主張シタル事実ノ外更ニ四個ノ事実（原判決事実摘示（イ）乃至（ニ））ヲ主張シ之カ立証トシテ数多ノ証拠申立ヲ為シタルニ拘ラス原審ハ悉ク之ヲ採用セス唯一回ノ口頭弁論ヲ開キタルノミニテ直チニ審理ヲ閉シ第一審ニ提出セラレタル証拠以外何等証拠調ヲ為スコトナク而モ上告人主張ノ事実ニ付テハ其ノ一、二ニ付離婚ノ理由トナラサル旨判示シタル外其ノ余ニ付キテハ「上告人ノ立証ニ依リテハ其ノ主張ヲ肯定スルニ足ラス」トシテ上告人ノ請求ヲ棄却シタルコト明ナリ凡ソ裁判ヲ為ス者ハ周到ナル注意ヲ以テ慎重審理ヲ遂ケ真実ヲ探究スルニ努力セサルヘカラサルコト固ヨリ如何ナル事件ニ於テモ異ナル処ナキ理ナリト雖殊ニ人事訴訟ニ於テハ其ノ取扱フ処人ノ最重大ナル身分関係ナルカ故ニ裁判所タルモノ一層茲ニ留意シテ万カ一ニモ其ノ誤認ナカルヘキコトヲ期セサルヘカラス法律カ此種訴訟ニ於テ一般民事訴訟ノ原則タル当事者主義ヲ捨テテ職権主義ヲ採リ当事者ノ申立アルト否ニ拘ラス必要ナル証拠ハ裁判所自ラ進テ之ガ調査ヲ為シ仍テ明トナリタル事項ハ当事者ノ主張セサルモノト雖之ヲ採リテ裁判ノ資料トナスベキモノトナシタルコト亦一ニ此ノ趣旨ニ出テタルニ外ナラス然ルニ原審ハ想ヲ茲ニ到サス職権ニヨル証拠調査ヲ為ササルハ勿論上告人ノ申立タル証拠ヲモ悉ク之ヲ却下シ書証ノ外何等直接ノ証拠調ヲ為サス而モ「上告人ノ立証ニ依リテハ其ノ主張ヲ肯定スルニ足ラス」トノ理由ニヨリテ輙ク上告人ノ請求ヲ棄却シタルハ不当ニ真実探究ノ義務ヲ怠リ事実審トシテ正ニ為スヘキ審理ヲ尽ササリシ違法アルモノト云フノ外ナシ」（大判昭一〇・一・二二判決全集一四・二六）。

三　判例理論適用の前提

一　序　論

唯一の証拠方法に関する判例理論は前述のとおり裁判官の心証との関係で証拠申出の採否を決すべ

き場合に処するためのものであつて、これ以外の理由、例えば証拠申出の不適法性によつて証拠の申出を却下すべき場合は本来判例理論の適用範囲外である。即ちこの場合には唯一の証拠方法であつてもなくても同様であるし、二で述べた判例理論の例外の場合のように裁判所が既に反対方向の心証を得ていることを要するものではないから、判例がこのような場合「唯一の証拠方法であつても却下できる」旨表現していることをとらえて、これを判例理論の例外と解するのは理論的には正当でない（中務・前掲二三九頁以下、民商二九・三・八一以下はこの場合を二で述べた例外の場合と同視して唯一の証拠方法か否かが証拠申出の採否を決する標準とならない理由の一とする。なお山内・民商四三・五・一四一参照）。換言すれば証拠申出が裁判官の心証とは無関係な理由によつては却下できない場合であることが判例理論適用の前提となるのである。以下心証と無関係な理由によつて証拠申出を却下できる場合に関する判例を取上げる。

二　不必要な証拠の申出

（一）顕著な事実　当事者が自白した事実及び顕著な事実は証明の必要がないから、これらの事実を立証するための証拠は唯一であると否とを問わず却下できることは当然である。次に顕著な事実に関する判例を挙げる。

【94】　地代増加請求事件で原審は地代の増加を認めたが、その金額については上告人（土地所有者、原告）の請求を一部棄却した。上告人はこれを不服として上告。原審が上告人が公租公課の激増を立証するため申請した人証の申出を排斥したことを唯一の証拠方法の却下であるとして攻撃。

「然レトモ原院ハ明治三十三年十一月ヨリ同四十三年ニ至ルマテノ間ニ在リテハ日露ノ大戦役ヲ経テ公租公課ハ増徴セラレ地価ハ漸次騰貴セルコトヲ以テ公知ノ事実ナリトシ上告人カ地代ノ増額ヲ強要シ得ルコトヲ判示シタルヲ以テ上告人ノ此点ニ関スル立証ノ必要ナラサリシコトヲ知ルヘク原院カ上告人所論ノ人証申

出ヲ排斥シタルハ相当ニシテ本論旨ハ理由ナシ」（大判明四五・五・一三民録一八・四八七）。

顕著な事実が真実に反することの証明は常に許されるとするのが通説（兼子・体系二五〇頁、三ケ月・法律学全集三九五頁、細野・要義三巻三二九頁、中島・日本民訴一三一三頁。反対、兼子―星野・判例研究四・二・五。但し、三ケ月・前掲は申出があれば常に証拠調をしなければならないものではないとする）であるが、次の【95】はこのための鑑定の申請を採用しなくても違法ではないとしている。

【95】　家屋明渡の調停に対する請求異議事件で上告人（原告）は調停成立後事情変更し借家難となつたから上告人の明渡義務は消滅したと主張し（たらしい）、その事情変更の事実を立証するため鑑定を申請したが、原審はその申請を却下し、上告人の主張を排斥した。

「………しかしながら原審は上告人がその存在を立証せんとした事情変更の事実が不存在であることが顕著な事実であると認定し、その故に鑑定の申請を採用しなかつたものと認められるのである。そして或る事実が顕著であるかどうかは裁判所の判断すべき事実問題であるから、その判断の当否を争うことは上告適法の理由とならない。また顕著なる事実は証明を要しないのであるから原審が前示鑑定を採用しなかつたことは当然で何等の違法はない」（最判昭二五・七・一四民集四・八・五三三）。

(二)　立証事項が重要でない場合　立証事項が裁判をなすにつき重要でない場合には二種の場合がある。その一は立証事項たる間接事実から主要事実を推論する蓋然性が既成の心証に照し全くないか極めて微弱な場合であつてこれについては既に述べた（二の三(一)）。その二は立証事項が仮に証明されたとしても法律上裁判の結論に影響がない場合である。これは裁判官の既成の心証とは無関係であり、唯一の証拠方法か否かを問わない。例えば、主張自体理由のない主張のための立証、抗弁提出前の再抗弁事実の立証がその適例であるが、立証事項が法律要件たる概念の解釈上主要事実存否の判断にとつて無意味である場合もこれに属する。次にこのような証拠申出の却下に関する判例を挙げる。

【96】 妻から夫に対する悪意の遺棄を原因とする離婚訴訟で、原審は、「控訴人（被告、上告人）ハ被控訴人（原告、被上告人）ト夫婦ノ関係ヲ持続スルヲ欲セス財産ヲ携帯シテ自ラ家出ヲ為シ他ノ婦人ト夫婦タランコトヲ企テタルモノナレハ……悪意ヲ以テ其妻タル被控訴人ヲ遺棄シタルモノナルコト論ヲ竢タス」と断定して離婚を認めた。上告人は原審が上告人申請の証人四名を不必要として取調べなかつたことを唯一の証拠方法の却下として上告。

「然レトモ……上告人ノ申請ニ係ル田中ヤス……等ノ訊問事項ニ対シ原院ハ左ノ如ク説明セリ『控訴人ハ……被控訴人カ控訴人ニ対スル待遇ノ道ヲ失シ居リタルコト明治二十九年三月十五日控訴人カ家出シタルハ被控訴人及ヒ其尊属親ノ虐待ニ堪ヘサリシ為メナルコト及ヒ右家出後モ控訴人ハ其居所ヲ晦マシタルニアラサルコトヲ証スル為メ岡崎有助……控訴人カ家出後モ決シテ其姿ヲ晦マシタルモノニアラサリシコトヲ証スル為メ田中ヤスノ訊問ヲ申請シ云々被控訴人及ヒ其尊属親ノ控訴人ニ対スル虐待又ハ被控訴人ノ居所ノ不分明ナリシコト何レモ控訴人カ悪意ノ遺棄ヲ為シタルヤ否ヤノ点ヲ定ムルニ付必要ナラサルコトハ既ニ説明シタル如ク其他申請ノ事項ニ至テモ控訴人主張ノ如ク証明シ得ラレタリトスルモ之ニ依リ悪意ノ遺棄ノ有無ヲ定ムルニ由ナキヲ以テ是亦不必用ノモノトシ総テ之ヲ却下シタリ』由是観之ハ該証人等ノ供述カ上告人ノ主張ノ如ク証明シ得タリトスルモ悪意ノ遺棄ニ関シテハ不必用ナルコト瞭然ナルヲ以テ原院カ之ヲ却下シタルハ当然ニシテ唯一ナル証拠方法ヲ拒絶シタルカ如キ違法ノ裁判ニアラス」（大判明三三・一一・六 民録六・一〇・一六）。

【97】 ゴム引工場を経営する被上告人が上告人所有の係争地を干場として使用し、干場用の柱木が現存することは当事者間に争がなく、右柱木が地上権ニ関スル法律第一条の工作物に当るかどうかが争点となつた事案。上告人は右柱木はその数僅少で工作物と称すべきものではないと主張したが、原審はこれを容れず右

柱木を工作物と認め、「其数ノ多少ハ此認定ヲ変更スルニ足ラサルモノトス」と判示した。上告人は原審が上告人申請の検証の申出を採用しなかつたことを唯一の証拠方法の却下として上告。

「……原院ハ上告人ノ申立ツル検証ヲ為スモ右認定ヲ覆スニ足ラサルモノト認メ之ヲ採用セサリシ判示ナルコトハ原判文全体ニ徴シテ明カナレハ原判決ハ上告論旨ノ如キ違法ナシ」(大判明三六・六・一五民録九・一五・七〇六、前掲【77】と同一事件)。

【98】　土地明渡請求事件。被告(上告人)が建物保護法第一条の「其ノ土地ノ上ニ登記シタル建物」を有するか否かが争点となつた事案。大審院は右の「登記シタル建物」というにはその土地にあるものとして登記された建物であることを要するとの見解をとつた。

「然レトモ裁判所ニ於テ証拠調ヲ為シ当事者主張ノ如キ結果ヲ得タリトスルモ争点ニ不必要ナルコトノ心証ヲ得タルトキハ唯一ノ証拠方法タルト否トヲ問ハス其証拠申請ヲ却下スルコトヲ得ルモノナルコトハ本院従来ノ判例ノ認ムル所ナリ今上告人ノ原審ニ提出シタル証拠申請書ヲ見ルニ書類ノ取寄及ヒ検証ノ方法ニ依リ本件ノ登記アル建物ハ係争地ニ建設シアルモノナルコトヲ立証セントスルモノナリ而シテ其本件ノ登記アル建物ト称スルハ上告人カ第一審ニ提出シタル乙第一号証登記簿謄本記載ノ建物ヲ指スモノナルベク従テ仮令所謂本件ノ登記アル建物カ係争地上ニ存在スル建物ニ相当スルモノナルコトヲ前記証拠調ニ依リ立証シ得タリトスルモ其登記ニシテ更正セラレサル限ハ之ヲ以テ被上告人ニ対抗スルコトヲ得ヘキモノニアラサルヲ以テ証拠調ノ結果ヲ得タリトスルモ上告人カ係争地ニ対シ建物保護法ニ依リ地上権ヲ有スルヤ否ヤノ争点ニハ何等ノ関係ナキコト明カナリ然レハ右証拠申請カ仮令上告人ノ申立テタル唯一ノ証拠方法ナリトスルモ裁判所ニ於テ之ヲ却下シ上告人ニ敗訴ヲ言渡スモ毫モ不法ニアラス」(大判大三・一一・一八民録二〇・九五二)。

三　不適法な証拠申出及び証拠調の障碍

(一)　証拠申出が所定の方式を備えないとき

【99】　「依テ記録ヲ調査シ之ヲ按スルニ上告人ハ原院ニ於テ民事訴訟法第二百九十一条(註、「人証ノ申出

ハ証人ヲ指名シ及ヒ証人ノ訊問ヲ受ク可キ事実ヲ表示シテ之ヲ為ス」）及ヒ民事訴訟用印紙法第六条第三号ノ規定ニ於ケル条件ヲ具備シタル人証ノ申出ヲ為シタル事蹟ノ見ルヘキモノナシ然ラハ適法ノ人証ノ申出ナキモノト看做サヽルヲ得サルカ故ニ原院ニ於テ之ヲ採用セサリシトテ之ヲ違法トシテ不服ヲ主張スルヲ得サルモノトス」（大判明三九・七・九民録一二・一一〇九）。

【100】　上告人は原審が上告人申請の記録の取寄をなしたままこれを書証として取調べずに審理を終結したことを唯一の証拠方法の却下として上告（記録取寄の申請書に記録中書証として援用する部分の特定がなく、上告人がその後の口頭弁論期日に出頭しなかつた事案らしい）。

「所論証拠の申出は所要の立証事項の明示と証拠方法の具体的表示とを欠き、不適法であることは記録上明であるから、たとえ所論の書証が唯一の証拠方法であつてもその証拠調をしなかつた原審の措置は違法ということはできない」（最判昭三〇・三・四裁判集17民五〇七）。

（二）　証拠申出が時機に後れたとき（民訴一三九条）。

【101】　「記録によれば、本件訴は昭和二六年九月八日原審に提起されたものであり、原判決は同年一〇月二〇日の第一回口頭弁論期日以来同二八年四月二八日の最終口頭弁論期日に至るまで前後一二回の弁論期日を経て審理をなした上、同年六月一三日に言渡されたものであるところ、所論検証の申請は右最終口頭弁論期日においてなされたものであり、その立証せんとする事項も同日はじめて主張せられたものであることが窺われる。そして右訴訟の経緯に徴すれば、原審は時機におくれた攻撃方法として該申請を却下し弁論を終結したものと認めるのを相当とすべく、しかも時機におくれた攻撃方法である以上、たとえ一定の要証事項に対する唯一の証拠方法であつても、これを却下し得べきことは勿論であるから、右原審のなした措置は首肯し得る。それ故原判決には所論のような違法はなく論旨は採るを得ない」（最判昭三〇・四・二七民集九・五・五八二）。

次の【102】は旧民訴時代の判例であるが、この点の先例と見るべきものである（これは原告の証拠申出が問題となつた事案であるが、旧民訴二一〇条・二一四条二項は被告の防禦方法についてのみ規定していたので、同条を正面から適用しなかつたのであろう。訴訟上の信義則に最初に言及した判例として注目すべきものである）。

【102】　賃借権確認請求事件。裁判所は原告が被告主張の賃貸借契約合意解除に対する唯一の反証として申請した証人Cを却下。原告はこれより先同一立証事項につき証人A、Bを順次申請したが、証拠申請書の不提出その他の手段によつて証拠調の施行を遷延した末順次これを放棄して証人Cを申請した事案。

「……直接争点事実ニ関スル原告又ハ被告ノ唯一ノ証拠方法ノ如キハ必スヤ其施行ヲ為ササルヘカラサルモノナリト雖挙証者カ荏苒証拠調申請書ヲ提出セス為メニ証拠調ノ施行ヲ不能ナラシムル場合或ハ採用セラレタル証人ヲ証拠調期日ニ至リ抛棄シ更ニ新証人ヲ申請シ再ヒ期日ニ之ヲ抛棄シ更ニ新証人ヲ申請スルコトヲ反覆スルカ如キ其他之ニ準スヘキ手段ニ依リ故意又ハ甚シキ怠慢ニヨリ訴訟ヲ遅延セシムル時其挙証方法カ甚シク信義誠実ノ原則ニ違背シ且其証拠方法ノ施行カ甚シク訴訟ヲ遅延セシムルノ結果ヲ惹起セシムルモノト認メラレ得ヘキ場合ニハ仮令唯一ノ証拠方法ナリト雖裁判所ハ右申請ヲ却下シ得ヘキモノトナスヲ至当トス従テ本件ニ於ケルカ如ク原告訴訟代理人カ曩キニ採用セラレタル証人ヲ抛棄シ更ニ同一立証事項ニ付他ノ証人ヲ申請シ且其採用ヲ得タル上証拠調期日ニ至リ再ヒ之ヲ抛棄シテ更ニ新タナル証人ヲ申請スル事ヲ反覆シ且一面証拠調申請書ノ提出ヲ為サスシテ荏苒期日ヲ徒過シ斯クテ結局約一年半ヲ徒過シ事実上裁判所ヲシテ証拠調ノ施行ヲ不能ナラシムルノ結果ヲ惹起セシメ為メニ訴訟ノ進行ヲ甚シク阻止シタルカ如キ不当ノ結果ヲ見ルニ至リタル場合殊ニ相手方カ極力訴訟ノ迅速ナル進行ヲ求メ従テ原告ノ叙上挙証方法ノ甚シキ怠慢ニ異議ヲ唱ヘタルカ如キ場合ニ於テハ裁判所ハ須ラク民事訴訟法本来ノ全精神特ニ民事訴訟法第二百十条ノ律意其他当事者ノ訴訟行為ノ懈怠ニ関スル幾多ノ規定ヲ設ケ訴訟手続ノ迅速円満ナル進行ヲ期スル法意ニ鑑ミ唯一ノ証拠方法ト雖モ之ヲ却下スルモ何等違法ナク寧ロ斯クシテ一面訴訟ノ遅延ヲ防止シ一面訴訟当事者双方ノ均等ナル利益保持ニ努ムルヲ以テ正ニ裁判所ノ為スヘキ適当ノ措置ト解セサルヘカラサレハナ

り」（大阪地判大一三・一一・一五新聞二三六二・一四）。

（三）　証拠調の費用の予納がないとき（民訴一〇六条二項）

【103】　「………記録によれば、原審は昭和二二年一〇月二三日の口頭弁論において、上告人の申請にかかる所論証人の訊問を決定すると共に、その証拠調費用を五日内に予納すべきことを命じたにかかわらず上告人は右費用を予納しなかつたので、原審は同二三年一月三一日の口頭弁論期日において前記証拠決定を取消し、右証人の取調を為さず弁論を終結したものであることが明らかである。しからば、仮に前記証人がいわゆる唯一の証拠にあたるものだとしても、原審の右の措置は正当であつて何ら違法の点はないから、論旨は理由がない」（最判昭二八・四・三〇民集七・四・四五七）。

なおこの点の同趣旨の先例として、台湾高判昭七・一〇・一五評論二四民訴三一、東京地決昭一〇・七・一〇評論二四民訴三五〇がある。

（四）　証拠調につき不定期間の障碍があるとき（民訴二六〇条）

【104】　「所論の証人が、唯一の証拠方法であつても、その取調につき不定期間の障害があるときは、民訴二六〇条の適用を妨げるものではない。記録によると、原審においては上告人の申出にもとずき右証人を尋問するため前後二回にわたり呼出状を発送したが、いずれも転居先不明の理由により不送達となり、右証人が指定の各口頭弁論期日に出頭しなかつたことが明らかであるばかりでなく、右呼出状の宛先のごときも、第一回目のときは世田谷区世田谷三ノ一三三六清改作方であり、第二回目のときは台東区浅草山谷東京都立山谷宿泊所内であり、殊に右第二回目のときは所轄郵便局集配手が再度にわたり調査していることが認められるのであつて、これらの事情を勘案すれば、右障害は同条にいわゆる証拠調につき不定期間の障害がある

ときに該当するものというべきであり、原審において右証人の尋問を行わないとして弁論を終結したことは相当であつて、原判決には所論の如き違法はない」（最判昭三〇・九・九民集九・一〇・一二四二）

四　当事者に過怠がある場合

裁判所は証拠決定をしたときは、前述の費用の予納がないとき及び証拠調に不定期間の障碍があるときを除き、なるべく速かに証拠調を施行すべき職責があるが、弁論主義を基調とする民事訴訟においては、証拠の申出をした当事者の協力がなければその職責を尽すことができない。従つてこの点につき当事者に過怠があるときは前記の二場合のほかにも証拠決定を取消し得る場合があるといわねばならない。この場合の当事者の協力義務は、民訴一三九条・二〇六条二項等からも類推できるが、むしろこれらの規定の背後にある訴訟上の信義則の一環である手続促進義務の一と考えるべきである（中野「民事訴訟における信義誠実の原則」訴訟関係と訴訟行為七五頁、山内・民商四三・五・一四一参照）。当事者の協力がなければ裁判所がその職責を果すことができないこと自体は弁論主義の当然の帰結であるが、このことから生ずる当事者の協力義務を弁論主義そのものから引出すことは無理であろう（反対、兼子・判民昭和一四年度一九〇、上田徹一郎「唯一の証拠」綜合法学二八・七一）。そうとすれば、どの程度の過怠があれば証拠決定を取消し得るかは、個々の場合に応じ信義則に照して決すべきものである。この観点から証拠決定の取消を認めた判例は比較的新しく、特に戦後のものが多い。

（一）　証拠申請書を提出しないとき　証人尋問の申出は、実務上証人の住所、氏名と尋問事項を記載した証拠申請書を提出してするのが普通であるが、申出自体は口頭でしてもよい（民訴一五〇条。中田・民商四三・五・一五五参照。但し後掲【106】は口頭による申出を認めない趣旨か）。ただ民訴二七六条との関係で尋問事項は必ず書面で提出しなければならないが

(規則三一条)、実務上口頭による申出を採用したときは尋問事項書だけを提出させるのではなく、改めて証拠申請書自体を提出させる取扱である(本人尋問の場合も同様である)。この場合証拠申請書の提出がない限り裁判所は証人を呼出すことができないから、当事者が相当の期間内に提出しないときは裁判所は証拠決定を取消すことができるのが当然で、唯一の証拠方法であるか否かを問わない。次の【105】は本人尋問につき裁判所から催告を受けながら期日前に提出しなかった場合、【106】は証人尋問につき未提出のまま一〇ヶ月を徒過した場合いずれも証拠決定を取消し得るとしている。

【105】「記録によると、原審は、所論昭和三三年一二月一七日午前一〇時の口頭弁論期日において、控訴代理人の申出により控訴人(上告人)本人牛尾国子を同三四年三月九日午後一時に尋問する旨決定したが、控訴代理人は同三四年二月五日証拠申請書提出の催告をうけても、なお、該申請書を提出しなかつたし、また同年三月九日午後一時の期日には控訴人本人牛尾国子が出頭しなかつたので、同控訴人の尋問を取消して弁論を終結したことは明かである。そして、本件の如く、証拠申請書提出の催告に応じないために、呼出ができなかつたような場合には、かりにそれが唯一の証拠方法であつても、その取調をしないで審理を終結しても、違法とはいえない(昭和二八年四月三〇日第一小法廷判決、民集七巻四号四五七頁、昭和二九年一一月五日第二小法廷判決、民集八巻一一号二〇〇七頁参照)」(最判昭三五・四・二六(三四(オ)五六四号)民集一四・六・一一一一)。

【106】「上告人が昭和三五年三月二日の原審第一回口頭弁論期日において書類の取寄並びに証人二名の尋問の申出をし、原審がこれを採用したところ、上告人は昭和三六年一月一七日の第四回口頭弁論期日に至るも正当の事由なくして右証拠申出書を提出しなかつたので、原審は同日右採用を取り消し、弁論を終結した上判決を言渡したことは、記録上明らかである。かように上告人の証拠申出が不適式であつて、上告人の右かい怠により約一〇ヶ月間証拠調の施行を不能ならしめた場合は、たとえ唯一の証拠方法であつてもこれを取

調べることを要しない、と判示した原判決は正当である」（最判昭三六・一一・一〇民集一五・一〇・二四七四）。

（二）　証拠調期日に出頭しないとき

(1)　本人尋問期日　　当事者が自分の本人尋問を申請しておきながらその証拠調期日に出頭しない場合である。次の【107】【108】はいずれも当事者本人不出頭の一事により直ちに証拠決定の取消を認めたのでなく、【107】では一、二審を通じて全然弁論期日に出頭しなかつたこと及び不参の事由を疎明しなかつたこと、【108】では二回も無届で欠席したこと（規則三二条・四〇条参照）を斟酌していることに注意すべきである。なお前掲【57】は本人が病気のため診断書を添附して欠席届を提出したのにかかわらず一回の不出頭により直ちに証拠決定を取消して結審したことを違法とし、【105】は本人尋問採用後証拠申請書を提出せず本人が期日に出頭しなかつた場合に関する判例である。

【107】「………記録ニ徴スルニ上告人ハ本件第一、二審口頭弁論期日ニ適式ノ呼出ヲ受ケナカラ一回モ出頭セス更ニ原審ニ於テ控訴本人訊問ノ決定ヲ為シ適式ノ呼出ヲ為シタルニ拘ラス上告人（控訴人）ハ単ニ不参届ヲ提出シタルノミニテ其ノ不参事由ヲモ疎明セスシテ該証拠調期日ニモ出頭セサリシコト明カナルヲ以テ原審ハ上告人カ正当ノ事由ナクシテ呼出ニ応セサリシモノト認メ証拠調ヲ為サスシテ審理ヲ終結シタルモノト解シ得ヘク右ノ如キ場合ニハ上告人ノ為唯一ノ証拠方法ナリトスルモ之カ取調ヲ為ササリシコトヲ目シテ敢テ違法ナリト為スヘカラス」（大判昭一四・七・五民集一八・七四〇）。

【108】「所論上告人本人訊問については、原審において、上告人は適法な呼出を受けながら、昭和二十六年八月一日及び同年一〇月一〇日の両度の証拠調期日に何等の理由を届出でることなく出頭しなかつたことは記録上明らかであるから、たとえ右は所論の事項に関する唯一の証拠方法であつたとしても、右本人訊問を

施行することなくして、結審した原審の措置をもつて、所論のように違法とすることはできない……」（最判昭二九・一一・五民集八・一一・二〇〇七）。

(2)　証人尋問期日　当事者（及びその訴訟代理人）が自己の申請した証人の尋問期日に出頭しない場合である。戦前（昭二三法一四九による民訴改正前）は裁判所が尋問するのが原則であつたから、当事者が期日に出頭しなくても裁判所が民訴二六三条により尋問を行うのが当然であつて、当事者の出頭、不出頭を問題とする余地は殆んどなかつたが、戦後は交互尋問制の採用により、尋問を申請した当事者が先ず証人を尋問することとなつたので（民訴二九四条）、当事者（及びその訴訟代理人）の不出頭が問題とされるようになつた。交互尋問制の下では申請当事者の不出頭はたしかにその証人尋問施行に対する熱意の不足を推測するに足りるが、戦後においても民訴二六三条は廃止されていないので、裁判所は当事者不出頭の場合でも裁判所だけでできる範囲で証人を取調べることができる（証人も不出頭の場合は勾引して）のであるから、当事者不出頭の一事をもつて証拠決定を取消し得ると解すべきではない（同旨、村松・総合判例民訴(1)七九頁、実務講座一八二頁、山内・民商四三・五・一四〇）。ただ手続の経過その他の事情と併せ考えれば不出頭の事実から当事者が故意に訴訟の引延しをはかつている等信義則上の義務に違反していることがうかがわれるときに限り、これを理由として証拠決定を取消し得ると考えるべきである（勿論唯一の証拠方法であるか否かを問わない）。

次の【109】は民訴二九四条の精神を重視して当事者不出頭の一事をもつて証拠決定を取消し得る旨判示したものと解されるが、その事案は恐らく当事者に信義則上の義務違反があると認められる場合であつたのであろう。

【109】「被告は右抗弁立証のため、唯一の証拠として、証人村上憲治の尋問を申出で、当裁判所は同証人を尋問する旨の決定をなし、裁判長はその証拠調の期日を昭和二十六年四月二十四日午後一時と指定し、右決定ならびに命令は当日出頭した被告訴訟代理人に告知したが、民事訴訟法は昭和二三年法律第一四九号による改正後、当事者主義の原則によつて貫かれることになり、当事者本人尋問等若干の例外を除き、原則として職権による証拠調の制度は廃止され、証人の尋問も同法第二九四条により申出た当事者が先づ之を尋問すべく、裁判長の尋問は補充的な性質となり、証人尋問施行の全責任は当事者が負うことになつたが、このような権利と責任を持つ当事者がその申出た証人の尋問をすべき期日に、何等正当の事由もなく、反対の意思を表示することなく、出頭しないときは、証人が出頭したと否とを問わず、その当事者は最早やその証人の証拠調をする意思はないものと推測されるし、民事訴訟法第二六三条は裁判官の補充的権能を規定したにすぎないのであるから、かくの如き場合裁判所は進んで自ら尋問をすべきではなく、且その証拠調のためにのみ新期日を指定し、ために訴訟の遅延を来すおそれがある場合には同法第一三九条の精神に照して、その証人の尋問をすることなく審理を終結すべきである、と解すべきところ、被告本人も被告訴訟代理人も前記期日に出頭せず、同日裁判長は右期日を昭和二十六年七月七日午前九時半に延期し、その呼出状を同年五月七日当庁に於て、被告訴訟代理人に交付して送達したに拘らず、何等正当の事由もなく、被告本人其代理人はともに右期日にも出頭しなかつた。よつて被告は右証人の尋問をする意思がないものと推測され、且訴訟を遅延するおそれがあるので、唯一の証拠ではあるが当裁判所は右証人の証拠調をしないで口頭弁論を終結した」（神戸地判昭二六・七・一九　下級民集二・七・九二五）。

次の【110】【111】は同一事件であるが、いずれも当事者の不出頭の事実のほかに手続の経過を斟酌して証拠決定を取消し得るものとしており、【111】では特に後者に重点がおかれていることに注意すべきである。

【110】「控訴人は、当審において右事実を証するため、期日前に証人高橋一二の尋問の申出をなし、当裁判所は、一たんこれを採用して昭和三十二年十月十九日午後一時の口頭弁論期日に取り調ぶべき旨決定したのであるが、右期日には右証人は何ら理由を示さずして出頭せず、控訴人もまた、病気及び老齢を理由として診断書添附の上書面による期日変更申請をなしたまま出頭しなかつたので、当裁判所は、相手方の意見をきいた上右申請を理由なしとして却下し、ついで右証人取調決定を取り消して尋問しないこととして弁論を終結したのである。このような場合普通であるならば、右変更申請を許容し、証拠調ならびに弁論のため新期日を指定するのが相当であるであろう。しかしながら、本件の場合は、控訴人は、原審ならびに当審を通じて終始口頭弁論期日に出頭していないのであつて、その理由とするところは病気である。このように久しきにわたる病気のため引きつづき出頭できないときは、しかるべき訴訟代理人を選任するなりして訴訟の促進をはかるのが訴訟当事者として当然なすべきところであつて、漫然病気を理由として訴訟の遷延をはかることは許されないところである。そして、証人高橋一二の不出頭が正当の理由に基くかどうかは別として、仮りに同人が出頭した場合、同人をまず尋問するのは控訴人であつて、その控訴人がこれに対処すべき方策を講じないで出頭しないのは、いわば主尋問権の放棄とひとしく、主尋問のないところ反対尋問、補充尋問もまたないのである。すなわち、訴訟全体の経過からみるときは、控訴人は、故意に訴訟の引き延しをはかつておるといわれても仕様がないのであつて、このような場合には、いわゆる唯一の証拠であつても却下することができるものというべきである」（東京高判昭三二・一〇・三一民集一〇・一一・五九八）。

【111】「記録によれば、上告人は第一審においては、第一回口頭弁論期日に出頭せず気管支喘息の理由で延期申請をして右期日は変更され、第二回口頭弁論期日は上告人不出頭のままその延期申請は却下され答弁書は陳述されたものと見なされて弁論が終結されたこと、また上告人は第二審においては、第一回口頭弁論期日に出頭せず示談の見込みありとして延期申請をして右期日は延期され、第二回口頭弁論期日にも出頭せず

上告人より調停申立を理由に停止申請がなされたが許されないで控訴状が陳述されたものと見なされ、上告人申出の所論証人の尋問が採用されて証拠調の決定がなされ、第三回口頭弁論期日は上告人高血圧症の理由で不出頭のまま延期申請がなされたが却下され、所論証人も不出頭なので証拠調決定は取り消され、口頭弁論は終結されたことが認められ、要するに上告人は第一、二審を通じ五回の口頭弁論期日に一度も出頭せず、また上告人に代わり訴訟を進行すべき訴訟代理人をも選任しなかつたことが窺われる。以上の手続上の経過に徴すれば、たとえ原審が証拠調の決定を取り消すことなく新期日を指定したとしても、新期日における上告人の出頭は期待することが困難であり、上告人による証人尋問のなされることも予期され難い事情が窺われるので、このような場合には原判決が説示するとおりたとえ所論証人が唯一の証拠方法であつたとしても、これを取り調べなかつたからといつて違法であるということはできないから、論旨は採用することができない」(最判昭三五・四・二六民集一四・六・一〇六四)。

なお、東京地判昭三三・五・一九ジュリスト一六一判例カード三は唯一の証拠方法に関するものではないが、証人の嘱託尋問期日にその証人尋問を申請した当事者の訴訟代理人が相手方代理人にも出頭しないよう依頼した上出頭しなかつたため、証人尋問の決定を取消した例である。

(三)　証人の出頭を阻止したとき

【112】「なお控訴会社は原審では何等の証拠をも提出せず当審に到りはじめて証人鈴木平一の訊問を申出でたので当裁判所はこれを採用したが、弁論の推移に照し控訴会社に誠実に訴訟を追行する意思があるとはたやすく認め難いふしがあり、一方証人も既に三回も呼出を受け乍ら一度も出頭せずこの間控訴会社と連絡をとつているものとみられるところから推して控訴会社は同証人の出頭を阻止し故らに事件の完結を遅延せしめようとしているものと解するの外はない。かような場合右証人は控訴会社にとり唯一の証拠ではあつても

民事訴訟法第百三十九条等一項に従うのが相当と認められるので該証人の訊問申出はこれを却下すべきものとする」（仙台高判昭二九・九・三〇下級民集五・九・一六五五）。

むすび

以上で証拠申出の採否に関する判例理論の全容が明かになつたと思うが、判例理論の基本的立場は、証拠申出の採否は原則として裁判所の裁量に属するというのであつて、「唯一の証拠方法の却下は違法である」との命題はその例外を示すものである。これに対し学説は当事者の申出た証拠は（裁判官の心証との関係でその採否を決すべき限り）原則として全部取調べなければならないとの立場に立ち（雉本・判批二巻三二三頁以下、中務・前掲二一二頁以下、諸問題六七五頁以下、加藤・判批二巻二〇一頁以下、兼子・体系二六三頁、条解Ⅲ四八頁、村松・研究二〇九頁以下、斎藤廼郎「民刑訴訟における証拠調の限度」法曹時報七巻四号四三二頁、三ケ月・法律学全集四二〇頁以下。判例に近い松岡・民事証拠論一三八頁以下、細野・要義三巻三七四頁以下、中島・日本民訴一三五三頁以下、菊井・講義三〇二頁以下、でも唯一の証拠方法の却下が違法であることを承認するに止まり、唯一でない証拠申出の採否につき裁判所の自由裁量を全面的には認めていないことに注意すべきである）、例外として根原・出所の同一な同趣旨の証拠は有力な方を調べるだけでよいし、双方提出の証拠により心証を得た後はこれが覆えされない相当の理由のある限りその余の申出を却下してよいとする（兼子・前掲、三ケ月・前掲、中務・前掲二一六頁）。

証拠申出の却下が上告理由になるかどうかの問題としては、証拠申出の採否を裁判所の裁量に委ねる旨の規定（民訴二五九条）をおいた我が民訴法の下では、むしろ判例の基本的立場をもって正当とすべきであろう（同旨、実務講座一八〇頁）。ただ唯一の証拠方法か否かを絶対の基準とする点においては理論上批判を免れないのであつて、判例としては今後その基本的立場を維持しつつ、形式的には唯一の証拠方法の却下ではなくても実質的にみて「立証の途を杜絶して立証なきを責める」に帰する場合にはこれを違法とする方向に進むべきであろう（但し実務の傾向が次に述べるとおりであるから右のような判例の出現を早急に期待することは困難かも知れない）。

上告の問題を離れ事実審の立場で考えると、現在の実務では当事者申出の証拠を原則として全部取調べる傾向にあり、必要以上の証拠調がなされている例も少くないので（村松・諸問題一八頁、実務講座一八〇頁参照）、むしろ学説の立場に立つてその例外として証拠申出を却下すべき場合の具体的基準が更に明かにされることが望しい。唯一の証拠方法であつても却下し得る場合に関する判例（前掲二）は、この立場に立つても大いに参考となるであろう。

書証の証拠力

田中和夫

はしがき

「書証の証拠力」には「形式的証拠力」と「実質的証拠力」とがある。形式的証拠力とは、文書が真正に成立したか、即ち文書が挙証者の主張する特定人の意思の表現と認めることができるかの問題であつて、そう認めることができる場合に形式的証拠力があるといい、その場合にはじめてその文書を事実認定の用に供することができる。実質的証拠力とは、また証拠価値、証明力ともいい、真正に成立した文書が具体的に事実認定のためにどの程度役立つかの問題であつて、単に証拠力といえば通常は実質的証拠力のことである。文書が事実認定のためにどの程度役立つかということには、その文書の記載内容を信用するかどうかという問題（信憑力）と、その信用する記載内容が要証事実の認定のためにどの程度役立つかという問題（狭義の証明力）とを含んでいる。文書の記載内容が間接証拠である場合に特に後者の問題を考慮する必要があるが、それは証言内容が間接証拠である場合と共通の問題である。

本稿においては、書証の形式的証拠力と実質的証拠力（殊に信憑力）との両者を取扱うことはもとよりであるが、大審院時代の判例はしばしば、例えば訴訟提起後第三者である私人が作成した証明書のように、一般的にいつて証拠価値の極めて少ない文書は証拠となりうる資格即ち「証拠能力」をもたないとしたことがある――そしてこの場合のことを「証拠力がない」といつた――ので、本稿では、一において書証の証拠能力につき、ついで二で形式的証拠力、三で実質的証拠力について述べることとする。

一　書証の証拠能力

わが民事訴訟法の下においては、いかなる文書も証拠能力を有するとするのが通説であるが、大審院時代の判例はしばしば、一般的にいつて証拠価値の極めて少ない一定の文書について、証拠能力がないものとしていた。例えば訴訟提起後第三者である私人が作成した証明書の如きである。本節ではそれらの判例について述べる。

一　訴訟提起後第三者である私人が作成した証明書

訴訟提起後第三者である私人が作成した証明書に証拠能力があるかの問題については、判例に変遷があつた。(イ)最初は証拠能力がないとしていた(例えば、大判明三九・一・一八)。理由は人証によるべきであるのに書証の方法を採つたのだから、というのである。この時代においても、医師の診断書について、それは医師が職務上作成するものであるからという理由で、証拠能力を認めた判決がある(大判大八・九・一一)。(ロ)大正一五年末になつて、かかる証明書にもすべて証拠能力があるという判決があらわれた(大判大一五・一二・二二(民三))。(ハ)ところが、すぐおつかけて翌昭和二年二月に、他の部が、訴訟提起後第三者である私人の作成した証明書が証拠能力をもつかもたないかは、人証回避の目的をもつて作成したかどうかによつてきまることであつて、当該事件において問題となつた文書も、大正一五年末の事件で問題となつた文書も、共に銀行がその営業上作成した証明書であるから証拠能力をもつが、人証回避の目的をもつて作成した文書であれば証拠能力をもたないという判決をした(大判昭二・二・二五(民二))。そして、その後にも現実に、人証回避の目的で作成された証明書に証拠能力がないという判決がなされている（大判昭四・四・五（民二））。（ニ）大審院判例集のみをみておれば、右のように辻つまが合うのであるが、法律新聞等その他の資料に報告されている大審院判決を調べると、実はこの時期においては、大審院が部によつて（関与する裁判官が異なるに従つて）意見を異にし、人証回避の目的で作成されたか否かによつて区別し、その目的で作成された証明書には証拠能力がないとする部と、そういう区別をせずにかかる証明書にもすべて証拠能力があるとする部とが、対立していたことがわかる。（ホ）しかし、昭和一四年には、かかる証明書にもすべて証拠能力があるとする判決が大審院判例集に載せられている（大判昭一四・一二・二二）――しかも、この説を強く主張したと考えられる前田判事が既に退職した後である――ので、この頃に大審院の見解がこのように統一されるに至つたということができ、最高裁判所も又その見解を採つている。

以下右の順序で、判例の変遷をみてゆくことにする。

（一）古くは一般的に証拠能力がないとしていた。

【1】「訴訟提起ニ際シ其訴訟ニ関スル係争事実ニ付一私人ノ為シタル証明書ハ、民事訴訟法人証ニ関スル規定ニ依リ証言ヲ以テ証拠方法ト為スコトヲ得ベキ場合ナルニ、当事者ガ之ヲ捨テ私ニ第三者ヲシテ作成セシメタル書面ナレバ、証拠トシテ採用スベキモノニ非ザルコトハ従来当院判例ノ示ス所ナリトス。而シテ前記甲二号証ノ内容ヲ上告人ニ於テ否認シタルコトハ、原院法廷調書ニ徴シテ明カニシテ、法律上書証トシテ其効力ヲ有スルモノニ非（ズ）」（大判明三九・一・一八民録一二・五五民抄録二八・五七三八）。

この事件の書証は、医会会頭が診察料、薬価、手数料等についての医会の規約の内容を掲げ、現今之を実行しているという証明書である。一般に「訴訟提起後云々」といっているが、この判決をみてもわかるように、「訴訟提起に際して」作成したものも同じである。その証拠能力がないとする理由について、この判決は「人証によることができるのだから」といっているが、もう少し強く「斯ノ如キ証明事項ハ証人訊問ニ依ルベキモノナリ」といっているものもある（大判明四〇・一一・一三、次に引用）。なお、かかる証明書には証拠能力がないというが、右判決文の末尾からうかがえるように、相手方がその内容を是認すれば別である。

右と同趣旨の判決が大正一五年一一月までの間に数多く報告されているが（大判明三二・五・二民録五・五・四民抄録三・四三二、大判明四〇・一一・一三民録一三・一一三〇民抄録三三・七二八五、大判大二・四・四評論二民訴八八、大判大一〇・二・二民録二七・一七二民抄録九一・二二五九〇、大決大一〇・五・二民録二七・八三八民抄録九二・二三〇六九、大判大一二・二・二三民集二・四二、大判大一三・九・一九新聞二三一四・二〇、大判大一五・九・二三新聞二六二六・一四、大判大一五・一一・一五評論一六民訴八〇）、大審院判例集に登載された最後のものを引用すると、

【2】「訴提起後其ノ訴訟ニ関スル係争事実ニ付一私人ノ作成シタル証明書ハ、相手方ニ於テ其ノ内容ヲ是認セザルトキハ証拠トシテ採用スルコトヲ得ザルコトハ、当院ノ判例トスル所ナリ」（大判大一二・二・二三民集二・四二）。

この事件で問題となった文書は、何月何日筵包綿布三個何月何日箱荷綿布一個を逗子駅前某運送店揚で被告某に送つたことを証明した訴外売主某に宛てた某運送店作成にかかる証明書である。

(1)　この証拠排斥の法則が適用される第一の要件は、その文書が私人の作成したものであるということである（前掲の大判大一五・九・二三新聞二六二六・一四も、かかる文書を「証拠トシテ採用セントスルトキハ、先ヅ其ノ書面ガ一私人ノ作成シタルモノニ非ズシテ、公務員ノ作成シタルモノナルコトヲ判断スルコトヲ要スルモノトス」といっている）。公証人の作成した公正証書（消費貸借契約証書）について、次の判決がある。

【3】「公正証書ハ之ニ記載セルガ如キ事項ノ陳述アリタルコトニ付テハ公正ノ効力ヲ有シ、訴訟提起後

ニ挙証者ノ代理人ノ嘱託ニ因リ作成セラレタルガ為ニ其ノ効力ヲ失フベキ理由ナケレバ、訴訟提起後係争事実ニ付作成シタル一私人ノ証明ト同視スベキニ非ズシテ、全然証拠力ヲ有セザルモノト謂フベカラズ。之ニ記載セル事実ガ果シテ真正ノ事実ナリヤ否ヤニ至テハ、事実裁判所ガ自由ナル意見ヲ以テ判断スベキ信憑力ノ問題ニ関スルモノトス。原裁判所ガ甲第二号証ニ依リ上告人等ノ連帯責任ヲ認定シタルハ、畢竟其ノ自由ナル心証ヲ以テ同証所載ノ事項ヲ信用シタルモノニ外ナラザレバ、之ヲ以テ違法ト謂フベカラズ」（大判大一二・二・六評論一二諸四六）。

この法則適用の第二の要件は、それがここにいうところの証明書であるということである。右に引用した【3】も、証明書でないという理由によつてもこの排斥法則の適用がないといえるが、そのことを明言したものとして、契約書についての判決がある。

【4】「第三者作成ノ書面ニシテ訴提起後ノ作成ニ係ルモノト雖モ、特ニ其訴訟ニ於ケル係争事実ヲ証明スル為メ作成セラレタルニ非ザル限リハ、挙証者ノ相手方ガ之ニ対シテ不知ノ陳述ヲ為スモ当然証拠力ヲ失フモノニ非ズ。甲第四号証ハ贈与者ガ受贈者ニ対シ、曩ニ為シタル贈与ニ付キ、其当時贈与証書ヲ作成セザリシモ之ガ取消ヲ為サザル等ヲ確約シタル契約書ニシテ、単純ナル一私人ノ証明書ヲ以テ目スベキモノニアラザレバ、同証ハ本訴提起後ノ作成ニ係ルモ其ノ成立ノ真正ナルコトヲ認メ得ベクンバ、裁判所ハ証拠トシテ係争事実ヲ判断スル、コトヲ妨ゲズ」（大判大七・九・一八民録二四・一七八七民抄録八〇・一八七一八）。

この法則適用の第三の要件は、前述のように、その証明書の作成が訴訟提起のため又は訴訟提起後であることである（訴訟提起前に第三者が作成した文書には証拠能力がある旨の判決は、大判大三・一二・一民録二〇・九九九民抄録五二・一二〇二三、大判大四・六・一九民録二一・九九三民抄録五八・一二九四六、大判大九・一一・二四民録二六・一八七一民抄録九〇・二二二九一、大判昭五・六・二七民集九・六一九等沢山ある）。

第四の要件は、前述のように、相手方がその文書の内容を是認しないことである。

(2) 大正一五年までの時期に、後に発展する、人証回避の目的をもって作成したかどうかで区別する見解の先駆をなす判決が、一つ報告されている。それは、損害賠償請求事件で、訴訟係属中に医師が不法行為の被害者である原告を診療し、その結果を記載した診断書についてである。

【5】「医師ノ診断書ハ医師ノ職務上作成スルモノニシテ、医師ハ妄リニ之ヲ作成スベキモノニアラザルコトハ、医師法第五条第十一条ニ依リ明カナレバ、一私人ノ作成シタル証明書ト性質ヲ異ニスルモノトス。故ニ裁判所ハ之ヲ真正ニ成立シタリト認メタルトキハ、訴訟提起後ニ作成セラレタル場合ト雖モ、疾病ニ関スル判断ノ証拠ト為スコトヲ得ルモノト謂フベシ。故ニ原院ガ、甲第二号証ナル診断書ヲ以テ本件損害賠償ノ原因タル被上告人ノ負傷ノ事実ヲ認定スル証拠ト為シタルハ不法ニアラズ。上告人ノ引用スル判例ハ孰レモ一私人ノ証明書ニ関スルモノナルヲ以テ、本件ヲ律スルニ足ラズ」(大判大八・九・一一民録二五・一五九六民抄録八五・二〇二七一)。

(二) 大正一五年末になって、かかる証明書にもすべて証拠能力があるという判決があらわれた。

【6】「訴ノ提起後当事者ヨリ聴取シタル事実ニ付為シタル証言ト雖、当然何等ノ証拠力無シト云フヲ得ズトノコトハ、已ニ当院ノ判例トスルトコロナリ(大正十三年(オ)第十三号同年十二月二十四日言渡)。此ノ判例ノ趣旨ヲ推ストキハ、訴ノ提起後係争ノ事実ニ関シ一私人ノ作成シタル証明書ニ於テノミ、独リ之ヲ証拠トシテ採用スルヲ得ザルノ道理アルベカラズ。蓋シ書証ト人証トニ於テ、其ノ証拠力ヲ二三ニスベキ何等法律上ノ根拠アルコト無ケレバナリ。所論判例(大正一〇・二・二判決、大正一〇・五・二決定、大正一二・二・三判決――著者)ノ趣旨ハ、前記判例ニ依リ自ラ変更セラレタルモノナリ」(大判大一五・一二・二三(民三)民集五・八九一)。

右の判決が引用している大正一三年一二月二四日の判決(大判大一三・一二・二四民集三・五四八)とは、訴訟提起後当事者から聞いた事実についての証言（伝聞証言）に関する判決であつて、かかる伝聞証言については、一般の伝聞証言について証拠能力を認めるようになつてからも（一般の伝聞証言の証拠能力は、大判明四〇・四・二九民録一三・四五八民抄録三二・六八九三によって認められた）、なお相当長く証拠能力を認めていなかつたのを（大判大一〇・一〇・二七民録二七・一八四一民抄録九三・二三七八七）、連合部を開いてその証拠能力を認めた判決である。この大正一三年の連合部判決の内容は、次のようである。

【7】「証言トハ証人ガ裁判所ニ於テ自己ノ見聞ニ依リテ係争事実ニ付知得シタルコトヲ供述スルノ謂ニシテ、如何ナル原因ニ基キ其ノ事実ヲ知得シタルヤハ法律上之ヲ問フコトナキヲ以テ、証人ガ自ラ係争事実ヲ実験シタルニ因リテ之ヲ知リタルト、第三者若ハ当事者ノ一方ヨリ聴取シテ之ヲ知リタルトニ拘ラズ、其ノ供述ハ均シク証言タルノ効力ヲ有スルコトハ夙ニ当院ノ判例トスル所ニシテ（明治三十九年(オ)第四六六号明治四十年四月二十九日当院判決参照）。未ダ之ヲ変更スベキ理由アルヲ見ズ。

「而シテ当事者ノ一方ヨリ聴取シタル事実ニ基ク供述ガ証言トシテ証拠力ヲ有スル以上ハ、其ノ証人ガ訴訟ノ提起前ニ於テ之ヲ聴取シタルト其ノ提起後ニ於テ之ヲ聴取シタルトニヨリテ撰ヲ異ニスベキ法律上ノ理由アルヲ見ズ。何トナレバ我民事訴訟法ハ法定証拠主義ヲ採用セザルモノニシテ、……訴訟提起後当事者ヨリ聴取シタル事実ニ関スル証言ト雖之ニ措信スルトキハ証拠トシテ採用スルヲ得ベキコト、猶訴訟提起前当事者ヨリ聴取シタル事実ニ関スル証言ニ於ケル如クナルベケレバナリ。（中略）

「尤モ当事者ハ訴訟上有利ナル事実ヲ陳述スベキ地位ニ在ルモノナレバ、訴訟提起後其ノ陳述ヲ聴取シテ為シタル証人ノ証言ハ実際上措信スルニ足ラザルモノ多カルベキヲ以テ、他ニ之ト相俟ツベキ証拠ナキ場合ニ於テハ、事実裁判所ハ細心ノ注意ヲ用ウルニ非ザレバ輙ク之ヲ採用スベキニ非ズト雖、一旦其ノ注意ヲ用テ之ヲ信拠スルニ足ルモノト認メタル以上ハ、之ヲ採用スルモ採証ノ法則ニ違背シタルモノト謂フヲ得ザルナリ」（大判大一三・一二・二四（民連）民集三・五四八）。

大正一五年一二月二二日の【6】の判決で問題となつた書証は、銀行が作成した原告の預金に関する証明書であつて、次の昭和二年二月二五日の【9】の判決において、銀行が営業上作成した証明書であるから人証回避の目的で作成されたものではなく、それ故証拠能力をもつていたのだと説明されたのであるが、実は、この【6】の判決をした第三民事部では、その二箇月前に既に【8】の判決において、普通の証明書（事実を証明した文書）について証拠能力があると判決していたのである。その事件では、証人等が訴訟提起後見聞した事実についてなした証言、及びその証人等が訴訟提起後に関与して作成した書証を資料として、事実認定したのであるが、これに対して、

【8】「第三者作成ノ文書ガ書証トシテ提出セラレタル場合ニ、其ノ作成ノ時期ニ於テ偶々当該訴訟ノ提起後ニ属スルノ故ヲ以テ其ノ証明力ヲ否定スベキ法規若ハ法則存スルコトナク、又証人ノ供述シタル事実ガ当該訴訟提起後ノ見聞ニ係ルノ故ヲ以テ之ヲ証言トシテ採ル可ラズト為ス法規又ハ法則モ亦之アルコトナシ。此等ヲ採用シテ判断ノ資料ニ供スルト否トハ素ヨリ事実審タル原審ノ専権ニ属ス。是我民事訴訟法ガ所謂自由心証主義ヲ採ルニ徴シ明ナルトコロナリ」（大判大一五・一〇・二三（民三——法律評論には民二となつているが、関与裁判官の氏名からみて、それは民三のミスプリントと考える）評論一六民訴三七五）。

（三）　大正一五年一二月の【6】の判決に引続いて、昭和二年二月に別の部で、人証回避の目的をもつて作成したのでない場合に限つて証拠能力をもつのだ、という修正的判決がなされた。手形面の記名捺印が予て銀行に届けてある記名捺印と相違がないかという問合せに対して、相違がないと証明した銀行作成の証明書が問題となつた事件である。

【9】「人証ニ依ル証拠方法ヲ回避スル目的ヲ以テ作成セラレタル証書ハ之ヲ採用スベカラザルコト本院

ノ判例トスル所ナリト雖、証書ガ果シテ此ノ目的ノ為ニ作成利用セラレタルヤ否ハ各場合ニ付判断スベキモノニシテ、証書ガ訴訟提起後ノ作成ナリトノ理由ノミニ依リ一般ニ之ヲ証拠能力ナキモノト為スベキニ非ズ。而シテ本件ニ於テ所論証書ハ銀行ガ其ノ取引ニ付証明ヲ求メラレタルニ当リ営業上証明ヲ与フベキモノトシテ作成セラレタルモノト認ムベキガ故ニ、此ノ如キ証書ハ訴訟提起後ノ作成ニ係ルト雖之ヲ以テ人証ニ依ル証拠方法回避ノ目的ノ下ニ作成セラレ又利用セラルルモノト認ムベキニ非ズ。従テ原審ガ所論証書ヲ以テ銀行ガ其ノ取引関係ニ付証明ノ為作成セル証書トシテ之ヲ採用セルハ、同証ガ人証ニ依ル証拠方法回避ノ目的ニ出デタリトノ反証ナキ本件ニ於テハ、毫モ違法ニ非ズ。曩ニ本院ノ為シタル判決（大正十五年(オ)第千百十九号同年十二月二十二日第三民事部判決）モ、銀行ガ其ノ取引ニ関シ職務上作成シタル書面ニ付、之ガ証拠能力ヲ認メシニ過ギザルガ故ニ、毫モ本院判例ニ矛盾スル所ナク、論旨ハ其ノ理由ナシ」（大判昭二・二・二五（民二）民集六・五九）（この見解の先駆をなす判決が大正八年にあつたことは、前述【5】の通りである）。

この問題について大審院判例集に右の次に報告されている判決は、【9】と同じ第二民事部の判決であつて、私立探偵社の作成した探査報告書を、人証回避の目的をもつて作成したものであり、かかる証明書には従前の判例通りに証拠能力がないとしている。

【10】「訴訟提起後其ノ訴訟ニ関スル係争事実ニ付一私人ノ作成シタル証明書ハ、人証ニ依ル証拠方法ヲ回避スル目的ヲ以テ作成利用セラレタリト認ムベキ場合ニ於テハ、訴訟上之ヲ採用スベカラザルコトハ当院ノ判例トスル所ナリ（大正十五年(オ)第六五三号昭和二年二月二十五日第二民事部判決参照）。今原審ノ採用シタル乙第一号証ニ付之ヲ見ルニ、同号証ハ被上告代理人甲ノ嘱託ニ因リ本訴訟提起後タル昭和二年九月十三日赤埴私立探偵社主乙ノ作成ニ係リ、上告人ノ職業ニ関スル探査報告書ニシテ、本件係争事実タル上告人ガ建築請負業兼建築設計監督ヲ業ト為シ居タルモノナリヤ否ノ点ニ関シ証拠トシテ提出セラレタルモノナ

リ。而シテ右ノ如キ場合ニ於テハ乙第一号証ハ人証ニ依ル証拠方法ヲ回避スル目的ヲ以テ作成利用セラレタリト認ムベキヲ以テ、原審ガ同号証ヲ採用シテ事実判断ノ資料ニ供シタルハ違法ナリ」（大判昭四・四・五（民二）民集八・二四九）。

（四）【6】【9】【10】と、大審院判例集に登載された判決のみをみていると、訴訟提起後第三者である私人の作成した証明書は、人証回避の目的をもつて作成されたときは証拠能力がなく、そうでないときは証拠能力があるということに、大審院の判例が安定したようにみえるが、大審院判例集に登載されなかつた判決をも調べると、前に引用した【8】の判決が既に示しているように、実は右のような見解を採る部と、人証回避の目的で作成されたか否かを問わず、すべて証拠能力があるという見解を採る部とが、対立していたことが判明する。

(1)　人証回避の目的をもつて作成したか否かによつて区別する見解の判決が【9】【10】以外に数個報告されており（人証回避の目的で作成したかどうかを判示せずに直ちに証拠力なしとして排斥したのは違法とするもの、大判昭二・五・二六（民一）新聞二七二一・一三。人証回避の目的で作成したかどうかを顧慮することなしに漫然証拠資料としたのは違法とするもの、大判昭三・五・一〇（民一）裁判例二民一一三、大判昭三・七・一九（民一）評論一八民訴七八、大判昭一二・五・五（民三）判決全集四・一一・二八）、ある文書が人証回避の目的をもつて作成されたものであるか否かについて、「訴ノ提起後繋争中第三者ガ其職務又ハ業務ノ施行ノ為メニアラズ、単ニ任意ニ作成シタル係争事実ニ関スル証明書ノ如キハ、他ノ適法ナル証拠ノ内容トシテ引用セラレタル場合ハ格別ナルモ、他ニ特別ナル事情ノ存セザル限リ人証ニ依ル適法ナル証拠方法ヲ回避スルモノ」であるとする判決がある（大判昭一二・一二・一五（民三）判決全集五・一・一七）。

(2)　これらと同時代の判決で、人証回避の目的で作成したか否かを問わず、すべて証拠能力があるとするものも【6】【8】のほか数個報告されている（大判昭二・一一・二六（民四）新聞二七九八・一一（取引所の売買証明書）、大判昭三・一〇・一三（民四）新聞二九四五・六、大判昭三・一〇・二〇（民四）新聞二九一二・一二、大判昭八・九・二九（民五）新聞三六一三・一八、大判昭八・一〇・二八（民四）裁判例七民二四九、大判昭一〇・七・一六（民五）新聞三八七六・一八——それらのうち大判昭八・一〇・二八以外のすべての判決に前田直之助判事が関与している）。

（五）　右のように大審院が部によって見解を異にしていた時期があったが、昭和一四年に次のようにすべてのかかる証明書に証拠能力がある旨の判決が大審院判例集に登載されており、以後これに反する判決がないようであるから、その頃に判決がそのように安定したものということができる。

【11】　「訴提起後ニ於テ其ノ訴訟ノ係争事実ニ関シ第三者タル一私人ノ作成シタル文書ト雖モ、書証トシテノ証拠能力ヲ有セザルモノニアラザルハ論ナク、タトヒ相手方ニ於テ其ノ成立ヲ否認シ、若クハ其ノ内容ヲ是認セザル場合ト雖モ、之ガ為メニ其ノ証拠力ヲ失フモノニアラズ。裁判所ハ弁論ノ全趣旨証拠調ノ結果ヲ斟酌シ、自由ナル心証ニ依リ其ノ成立ヲ認定シタル上、更ニ自由ナル心証ヲ以テ其ノ証拠価値ヲ判断シ、之ヲ事実認定ノ資料ニ供シ得ベキモノトス（当院大正十五年(オ)第一一一九号同年十二月二十二日言渡判決参照）。

「本件ニ於テ乙第三号証ハ本訴提起後ニ於テ訴外甲ガ作成シタル文書ナルコト所論ノ如シト雖モ、右ハ同人ガ特ニ本件係争ノ事実ヲ証スルガ為メニ作成シタルモノナリトノ事実ハ之ヲ認メ難キノミナラズ、仮ニ然リトスルモ其ノ一事ニ因リテ同証ガ当然ニ其ノ証拠能力ヲ失フモノニアラズ。右ハ要スルニ同証ニ対スル書証トシテノ価値判断ヲ為スニ付キ考慮スベキ一事実タルニ過ギズ。而シテ証拠ノ価値判断ハ固ヨリ事実審タル原裁判所ノ専権ニ属スルトコロナリ。サレバ論旨ハ畢竟訴ノ提起後第三者ノ作成シタル書証ノ証拠能力ニ関シ誤レル法律上ノ見解ヲ主張スルモノタルカ、若クハ原審ノ前示専権ノ行使ヲ攻撃スルモノタルニ帰着（ス）」（大判昭一四・一一・二一（民五）民集一八・一五四五——この判決は、前に引用した大判昭八・一〇・二八（民四）裁判例七民二四九と共に、【6】の判決に前田直之助判事と並んで関与した神谷健夫判事が裁判長として言渡したものである。なお前田判事は昭和一二年三月退職）（同旨、大判昭一五・七・二（民二）新聞四五九一・一三——この判決には神谷判事も関与していない）。

最高裁判所も、訴提起後一私人によって作成された書面も「疎明方法として判断の資料とすることを妨げない」と判決している(最判昭二五・五・一八判タ一三・六三)。この判決は簡単で、疎明方法としてであるから特に能力を認めるという意味なのか、疎明方法であると証明方法であるとを区別せずに能力を認める意味なのか、明らかでないが、後に引用する挙証者作成の文書の証拠能力についての最高裁判所判決(後掲【17】)では、疎明方法であると証明方法であるとによつて特に区別をしていないようである。従つて、訴訟提起後第三者である私人が作成した証明書の証拠能力についての最高裁判所の見解は、かかる証明書にも全面的に証拠能力を認める末期の大審院の見解と同一である、と考えてよいであろう。

二　挙証者が作成した自己に有利な文書

挙証者が作成した自己に有利な文書についても、判例でその証拠能力の有無が問題とされた。そして証拠能力がないとする判例が多いのであるが、この場合については「それ自身独立して証拠能力をもたない」(他の証拠によつてその内容が真実であるとの心証を得ない限り、証拠能力がない)とするのであり、しかも、訴訟に関係なしに作成され別段疑わしい事情のない場合、又は法律が制裁を付して内容の真正を確保するに努めている場合には、証拠能力があるとしていた。大審院時代の判決でさがし得た最後のものは昭和五年の判決で、それはなお右のような見解を採つていたが(もつとも、後掲(三)の割註に述べるように、右の見解は既に変更されているといつた判決が昭和一〇年にある)、最高裁判所の昭和二四年の判決は――疎明方法に関する判決であるが――かかる文書にも全面的に証拠能力を認めている。

(一)　独立して証拠能力をもたないとする判例

【12】「訴訟当事者自ラ作成シタル書面ハ、商業帳簿ノ如ク法律ニ特別ナル規定ノ存スルモノヲ除クノ外、相手方ニ於テ書面ノ成立ヲ否認シ其内容ヲ争ヒタル場合ニハ、作成者自ラ之ヲ証拠トシテ提出スルモ、法律

上証拠タルノ効力ヲ有スルモノニ非ズ。但裁判所ガ他ノ適法ナル証拠ニ依リテ右書面記載ノ事実ヲ真実ナリト認メ、相待チテ事実認定ノ資料ニ供スルハ毫モ妨グル所ニアラズト雖モ、相手方ニ於テ其書面ヲ否認シ其内容ヲ争フニ拘ハラズ、直ニ採テ以テ判断ノ資料ト為スハ法ノ許ス所ニアラズ（大正元年(オ)第四十二号同二年二月五日第二民事部判決参照）」（大判大九・一〇・一三民録二六・一四七八民抄録八九・二二〇〇四――商人でない当事者の作成した計算書）（同旨、大判昭四・五・二〇裁判例三民八六、八七。挙証者の先代の作成した文書についても、同旨、大判大一二・一二・一二新聞二一二四・二三）。

【13】「自己ノ作成シタル手控帳ハ、夫レ自体ニ於テ自己ノ主張事実ヲ証スルノ効力ナキハ洵ニ所論ノ如シ。従テ裁判所ガ単純ニ之ヲ作成者ノ利益ノ為メ証拠材料ト為スハ違法タルヲ免レズト雖モ、裁判所ガ其手控帳ノ記載ヲ真実ナリト認ムベキ憑拠ヲ有スルニ於テハ、之ヲ作成者ニ有利ナル事実認定ノ資料ニ供スルハ毫モ妨ゲナシトス。而シテ原判決文ヲ見ルニ、原院ハ単純ニ被上告人ノ手控帳ヲ以テ証拠ト為シタルニアラズシテ、先ヅ以テ其手控帳ノ形式上ヨリ其記載ノ精確ナリトノ心証ヲ得、之ヲ甲第二号証及ビ甲等ノ証言ト対照シテ手控帳記載ノ事実ヲ肯定シタルモノナレバ、原判決ニハ所論ノ如キ採証上ノ違法ナク、上告論旨ハ其理由ナシ」（大判大二・二・五民録一九・五一民抄録四六・一〇六一八）（同旨、大判大一〇・五・一三民録二七・九一〇民抄録九二・二三一二九）（挙証者である債務者の手控帳に債権者代理人の署名捺印がある場合は、単なる挙証者作成の文書ではなく、右の排斥法則は適用されない。大判大九・一一・二七新聞一八二四・二二）。

もつとも、この時期に既に、当事者作成の文書についても、これを採用すると否とは事実裁判所の自由である、とする判決も報告されている（大判大四・一〇・二五民録二一・一七六八民抄録六一・一三四七六、大判昭二・一二・一九新聞二八〇六・一四。前の割註で挙証者先代の作成した文書にこの排斥法則を適用した判決があることを記したが、挙証者の先先代の作成した文書につき、先先代は書面の作成については第三者の地位にあるのだから、この排斥の法則の適用がないとする判決もある。大判大一二・二・二四民集二・六〇）。

（二）　挙証者が作成した文書については、一般的には右のように独立して証拠能力をもたないとしていた時代にも、次のように信用できる情況の下に作成されたものについては、証拠能力があるとしていた。独立して証拠能力をもたないというのは、他の証拠によつてその内容が真実であるとの心証を得た場合には証拠能力があるという意味であるから、その作成の情況によって信用できる場合に独立して証拠能力があるとしても首尾一貫するわけである。

(1)　訴訟と無関係に作成され別段疑わしい事情のない場合について、

【14】「挙証者自身ガ訴訟ノ為メニ作成シタル文書ノ如キハ証拠力ヲ有セザルモ、訴訟ニ関係ナク他人ニ発送シタル信書ノ如キハ、其記載ヲ真実ナリト認ムベキ場合ニ裁判所ガ之ヲ事実認定ノ資料ニ供スルハ法律上何等ノ妨ナキ所ナリ」（大判大七・九・二六民録二四・一七五三民抄録八〇・一八六九二）（同旨、大判大一〇・九・二八民録二七・一六四八、一六七三、民抄録九三・二三六四九、二三六六八）。

【15】「挙証者ノ作成ニ係リ而カモ同人ニ有利ナル記載ノ存スル文書ト雖、其ノ作成ノ当時作成者ト宛名人タル相手方トノ間ニ敢テ紛争等ノ存スルナク其ノ記載ニ対シ別段疑念ノ生ズベキ事情之ナキニ於テハ、単ニ挙証者自身ノ作成ニ係ルノ故ヲ以テ其ノ証明力ヲ否定シ去ルベキモノニ非ズ。其ノ記載事実ノ真否如何ハ事実審ノ自由心証ニ依リ之ヲ判断シ得ルモノト解スベキモノトス。原審ガ所論甲第二号証ヲ採リテ論旨摘録ノ事実認定ノ資料ニ供シタルハ、畢竟之ヲ以テ叙上ノ如キ文書ニシテ措信スルニ足ルモノト認メタルガ為ニ外ナラズ」（大判昭五・二・八民集九・一一五）（大審院判例集はこの判決の判決要旨として、「挙証者ノ作成ニ係ル文書ト雖之ヲ採リテ判断ノ資料ニ供スルコトヲ妨ゲズ」と記している。しかしそれまでの判例の流れからみると、それは「敢テ紛争等ノ存スルナク其ノ記載ニ対シ別段疑念ノ生ズベキ事情之ナキ」場合に限る意と考えられるべきである）。

(2)　法律が制裁を付して文書の内容の真正を確保するに努めている場合について、

【16】「甲第七号証第四回定時総会報告書ハ、被上告会社ノ清算人ガ商法第二百二十七条ノ二ノ規定ニ基キ其職務上作成シ……タルモノニシテ、其記載ノ内容ノ真正ニ付キ同法第二百六十二条ノ二第九号ニ制裁ヲ以テ之ヲ強要スル書面ナレバ、私人ノ任意ニ作成シ得ベキ文書ト自ラ其性質ヲ異ニスルヲ以テ、相手方ノ不知ノ陳述ノ為メニ直チニ其証拠力ヲ失フモノニアラズ。……上告人ガ本論旨ニ援用セル当院判例（大判大二・二・五、前に引用、等――筆者）ハ、私人ノ任意ニ作成シ得ベキ自己ノ手控帳ヲ書証トシテ提出シタ

場合ニ関スルモノナレバ、本件ニ適切ナラズ」（大判大四・三・六民録二一・二三〇民抄録五四・一二三三〇）。

（三）　以上が昭和五年までの判例の状態であり、その後昭和一〇年の大審院判決の中で上告論旨援用の【12】の判例は自ら変更せられたと述べられているが、その論拠があやしい（大判昭一〇・七・九民集一四・一三〇九は、「挙証者ガ自己ノ作成ニ係ルモノトシテ提出シタル文書ニ対シ、相手方ガ不知ノ陳述ヲ為シタル場合ト雖、裁判所ニ於テ弁論ノ全趣旨ニ依リテ其ノ成立ヲ肯定スルハ之ヲ妨ゲザルモノトス」という趣旨の判決であるが、その判決文の中で、上告人援用の大判大九・一〇・一三【12】は、大判昭三・一〇・二〇民集七・八一五「ニ依リ自ラ変更セラレタルモノナリ」といっているのである。ところが、右の昭和三年の判決は、判例集が「弁論ノ全旨趣トハ或証拠調ノ結果口頭弁論ニ現レタル一切ノ訴訟資料ヲ指スモノトス」という判決要旨をかかげた裁判上の自白の取消に関する判決であるから、【12】の判決がその判決によつて「自ラ変更セラレ」る筈はないのである。しかしこの判決文は、その頃の大審院の見解を推測させる一つの資料である）。しかし、前節で取扱つた訴訟提起後第三者である私人が作成した証明書の証拠能力についての判例の変遷をみると、挙証者が作成した自己に有利な文書の証拠能力についての見解も、大体においてその頃全面的に証拠能力を認めるように変つたであろうことが推測され、最高裁判所は昭和二四年に、疎明方法について、その趣旨の判決をしている。

【17】「（被――筆者）上告人が原審において疏明方法として提出した乙第一二号証および第一三号証は、いずれも、本件仮処分申請提起の後に、被上告人自ら上告会社に宛てて本件係争の事実関係について、差出した書面（内容証明郵便――筆者）であることは所論のとおりである。しかしながら、訴訟提起後に、当事者自身が係争事実に関して作成した文書であつても、それがために、当然に、証拠能力をもたぬものではない。裁判所は自由の心証をもつて、かかる書類の形式的、実質的証拠力を判断して、これを事実認定の資料とすることができるのである」（最判昭二四・二・一民集三・二・二一）。

三　その他

印紙を貼用しない文書について、

【18】「印紙税法其他ノ法律ニ印紙ヲ貼用スベキ証書ニシテ之ヲ貼用セザルモノハ証拠力ナキ旨ノ規定ナキヲ以テ、被上告人ノ提出シタル乙第二、三号証ニ印紙ノ貼用ナシトスルモ、其証書ヲ以テ証拠力ナシト謂フヲ得ズ。故ニ原裁判所ガ之ヲ証拠ニ採用シタルハ相当ニシテ、本論旨ハ理由ナシ」(大判大八・四・一四民録二五・五七〇民抄録八三・一九六一六)。

これも証拠能力に関する判例であろう。

二　形式的証拠力

文書の真正に関しては民事訴訟法三二三条乃至三三一条に規定がある。本稿の紙数の関係もあり、旧法の相当規定(三五一条乃至三五五条・三五五条)の内容に現行法とやや異なっているものもあるので、現行法になってからの判例のみを取扱うことにする。

一　公文書の真正

公文書の真正については三二三条に推定規定がある。耕地整理組合の議事録が同条にいう公文書であるかにつき、

【19】「原審ハ……上告人ガ此ノ点ノ立証ニ供シタル乙第六号証ハ真正ニ成立シタリト認ムベキ証左ナシトノ理由ヲ以テ、之レヲ排斥シ去レルモ、乙第六号証ハ甲耕地整理組合ニ於ケル組合議事録ト題スル文書ナリ。耕地整理組合法ニヨリ設立セラレタル組合ハ公法人タルコトハ夙ニ当院判例トスル所ナレバ、該組合ノ議事録ハ民事訴訟法ニ所謂公文書ニ外ナラザルヲ以テ、其ノ方式及趣旨ニ依リ公務員ガ職務上作成シタルモノト認ムベキモノナレバ、之レヲ真正ナル公文書ト推定ス可キハ民事訴訟法第三百二十三条ノ示ス所ナレバ、乙第六号証本件組合ノ議事録ガ同条ノ推定ヲ受クベキ資格ナキモノト為スニハ、文書ノ方式及趣旨ニ依

リ公務員ガ職務上作成シタリト認メ得ザル所以ノ理由ヲ示サザル可カラズ。然ルニ原審ハ漫然真正ニ成立セリトノ証拠ナキ故ノミヲ以テ直ニ之レヲ排斥シタルハ、同条ノ推定規定ヲ無視シタル不法アルカ、又ハ推定ノ及バザル所以ノ理由ヲ遺脱シタル不法アリ（リ）」(大判昭一五・九・二一民集一九・一六四四、一六六三)。

その他、町村長の作成した町村の徴税のための帳簿に何人を家屋の所有者と登録してあるかの証明書は、公文書であるとする判決(大判昭六・五・二七新聞三二九六・一二)、郵便葉書の記載文書は郵便官署の消印があつても私文書であるとする判決(大判昭六・五・二三新聞三二七九・一六)がある。

二　私文書の真正

(一)　総　説

(1)　文書の真正の意味　「証書ハ、其名義人ガ之ニ自署スルコトナク他人ガ記名シタル場合ニ於テモ、其作成ガ名義人ノ意思ニ基ク以上ハ真正ニ成立シタルモノト謂フベ」きであり(大判昭一六・一二・一三評論三一民訴三二)、従つて相手方が文書の成立の真正であることを認めても、そこに記載された作成者の氏名が自筆であることを認めたことにはならない(大判昭六・五・二七新聞三二八一・八)。また、「書証の成立を認めるということは、ただ其書証の作成名義人が真実作成したもので偽造のものではないということを認めるだけで、その書証に書いてあることが客観的に真実であるという事実を認めることではない」(最判昭二五・二・二八民集四・二・七五、七七――もつともこの判決は公文書に関する判決である)。

(2)　書証の成立に争があるときは、その書証の事実認定の資料にするには先ずその真正の成立を認定した後でなければならない(大判昭一二・四・二一判決全集四・八・二六)。しかしその真正の認定のために特に証拠調をしなければならないというわけではなく、また弁論の全趣旨のみで真正の認定をしても差支えない。

【20】「第三者ノ作成ニ係ル私文書ガ証拠トシテ提出セラレ相手方ニ於テ其ノ成立ヲ争ヒタルトキハ、挙証者ニ於テ特ニ其ノ成立ヲ証セザルトキト雖、裁判所ガ口頭弁論ノ全趣旨及証拠調ノ結果ヲ斟酌シ自由ナル心証ニ依リ其ノ成立ヲ認定シ得ル以上、之ヲ採リテ判断ノ資料ニ供スルコトヲ妨ゲザルモノトス」（大判昭五・六・二七民集九・六一九）（同旨、大判昭六・二・一八裁判例五民一三、大判昭七・一一・四裁判例六民二九九、大判昭九・七・一八新聞三七二八・一七、大判昭一〇・六・四新聞三八五三・一四、大判昭一一・九・二新聞四〇三八・七、大判昭一七・三・一四評論三一諸四八九）。

【21】「第三者作成の文書については、特段の立証はなくとも裁判所が弁論の全趣旨によりその成立を認めうるものと解すべきであつて、原審が右乙号証は真正に成立したものと認める旨判示したのは、弁論の全趣旨によりこれを認めた趣旨であること明であるから、同号証を証拠に採用したことは何ら違法ではな（い）」（最判昭二七・一〇・二一民集六・九・八四一）（同旨、大判昭一二・一〇・二五新聞四二〇二・一二（「他ノ証拠ニ依ルコトナク」といつている）、大判昭一三・一二・八新聞四二六二・一二（同上）、大判昭一五・二・一〇評論二九民訴一四八（「書証ノ形態内容ハ勿論弁論ノ全趣旨ニ鑑ミ」といつている））。

挙証者が、自己が作成した文書であるとして提出した場合にも、同様である（大判昭一〇・七・九民集一四・一三〇九。同旨、大判昭一二・二・一二新聞四一〇九・一四）。（註）

（註）決定手続においては、「相手方の提出した書証について一々（当事者）に認否を求めなくとも、相手方の提出した証拠によつてその成立を認定してもなんら違法がな（い）」（東京高決昭三二・八・二六下級民集八・八・一六〇五）。

（二）私文書の真正の推定　私文書の真正についても、「本人又ハ其ノ代理人ノ署名又ハ捺印アルトキハ之ヲ真正ナルモノト推定ス」という推定規定がある。この規定は「本人又ハ其ノ代理人ノ署名又ハ捺印ニ付争ナキ場合ノミナラズ、裁判所ガ争アル署名又ハ捺印ノ真正ナルコトヲ認定シタル場合ニモ適用セラ」れる（大判昭七・二・二二新聞三三七八・一一）。

(1)　この規定があるから、書証の印影が真正であることが認められたときは、反対の証拠のない限り、その証書は真正に成立したものと認定しなければならない（大判昭六・二・一八裁判例五民一〇、大判昭七・五・二八裁判例六民一七一、大判昭一二・七・八判決全集四・一三・二〇・）。書証の印影が、登記申請書に押捺してある印影と同一である場合について、

【22】「本件金五百五十円ノ金員借用証書タル乙第一号証中被上告人名下ノ印影ハ、昭和十二年七月二十二日被上告人ガ本件二畝十九歩ノ畑ヲ買受ケタル際ノ登記申請書ニ押捺シタル印影ト同一ノモノナルコトハ、当事者間ニ争ナキコト原判示ノ如クナル以上、該印ハ一応被上告人ノ印ニシテ従テ乙第一号証ハ真正ニ成立シタルモノト認ムベク、之ヲ否定センニハ首肯スルニ足ル理由ナカルベカラザルヤ多言ヲ要セズ。然ルニ此ノ点ニ関シ、原判決ハ、右畑ノ買受当時被上告人ハ郷里ニ居ラザリシ為、其買受及之ガ登記申請等ノ一切ハ甲（被上告人の父。被上告人が甲の連帯保証人となつているかどうかが争われている——筆者）ニ於テ代リテ之ヲ為シ、其ノ必要上其ノ場合ニ限リ右印ヲ被上告人ノ印トシテ使用シタルニ止マリ、当時被上告人ノ印ト為シ居リタルモノニ非ザル旨判示スレドモ、斯ル事実ハ未ダ以テ右認定ヲ妨グベキ事情ト為スニ足ラザルヲ以テ、原判決ハ此ノ点ニ於テモ理由不備ノ瑕瑾アルモノト做サザルヲ得ズ」（大判昭一五・八・六新聞四六〇九・一〇）（自己の印影であることを是認する印影と同一である場合につき同旨、大判昭七・二・四裁判例六民一四）。

株式会社の機関の署名に代わる記名捺印において、記名名義に吻合しない印章を押捺してある場合について、

【23】「右書証ヲ検スルニ支払保証人トシテ株式会社甲銀行常務取締役乙ノ記名アリテ、其ノ名下ノ印影ハ丙ノ名義ヲ表示スルモ当該部分ニ右銀行ノ名義ヲ表示セル印影押捺セラレタリ。而シテ商法上ノ署名ニ代ルベキ記名捺印ニ在リテハ、其ノ捺印ハ必ズシモ記名者名義ノ印章ヲ使用スルコトヲ要セザルガ故ニ、若右記名並銀行印ニシテ真正ニ成立シタルモノト認メラルルニ於テハ、縦令記名名義ニ吻合セザル印章ガ其ノ名

下ニ押捺セラレタリトスルモ他ニ特段ノ事情ノ存セザル限リ、一応叙上支払保証ハ真正ニ成立シタルモノト認定スベキハ採証ノ法則上当然ノ事理ニ属スルモノト云ハザルベカラズ」（大判昭六・六・二五新聞三三〇二・一四）。(註一)(註二)

(註一)　なお本条に関連して、「債務ノ成立ヲ証明スベキ文書中ノ連帯保証人ニ関スル部分ノ成立ヲ認メ得可キトキハ、特別ノ事情ナキ限リ右文書中ノ主タル債務者ノ署名捺印モ亦之ヲ真正ニ成立シタルモノト認ムルヲ相当トス」とする判決がある（大判昭七・六・二民集一一・一〇九九、一一〇二）。事実上の推定である。

(註二)　印影が名義人の印顆を用いたものであるという自白の撤回につき、それは書証が「真正に成立したものであるかどうかという主たる争点に対する間接事実の自白に属するから、その撤回は自由である」とする判決がある（東京地判昭三一・一二・三下級民集七・一二・三五二八）。もつともこの判決は、自白の撤回にかかわらず、その印影は名義人の印顆によるものであることを認定している。

(2)　本条の推定を破る特別事情の存在が認められた例として、

【24】「原判決ハ、所論ノ各文書ニ於ケル被上告人名下ノ印影ハ孰モ真正ナルモ、何人カ被上告人ノ意思ニ反シテ使用シタルモノナルコトヲ証拠ニヨリ認定シタルモノナレバ、同文書ヲ以テ何レモ偽造ニ係リ同文書ニ依ル意思表示ノ効力ナキコトヲ判示シタルハ毫モ違法ニ非ズ。而シテ印章ノ不正使用ガ証拠上肯定シ得ラルルニ於テハ其旨ヲ判示スルヲ以テ足リ、如何ナル機会ニ於テ何人ニ依リ押捺セラレタリヤト云フ如キ巨細ノ事実ハ必ズシモ之ヲ説示スルノ要ナキモノトス」（大判昭六・一〇・一三新聞三三二八・八）。

金銭貸借証書に連帯保証人として署名捺印したが、連帯保証債務負担の意思がなかつたと証拠により認定した原判決を、是認した判決もある（大判昭七・二・二〇新聞三三七八・一一）。また、印章の偽造を認め得なくても、証拠によつて、文書の偽造を認定することを妨げない（大判昭六・一〇・一三新聞三三二八・八）。

(3)　本条の規定は、本人又はその代理人の署名又は捺印がなければ真正に成立したものと認めてはならないという趣旨でないことはいうまでもないが、上告理由でそう主張した事件があり、署名捺印がない書証が真正に成立したことを証拠によつて認定しても違法でないという判決がある（大判昭六・一一・三一新聞三三三二・八、大判昭六・九・三〇新聞三三二二・九（記名のみあり））。

三　筆跡又は印影の対照

対照物の選択は私文書たると否とを問わず事実審裁判所が自由に決し得（大判昭一七・二・二五評論三一民訴八五）、またその対照には持に検証の申立又は決定を必要とせず、「訴訟ニ顕ハレタル文書ニ於ケル文字ト係争ノ文字トノ墨色及筆勢ヲ対照」するという方法によつてもよい（大判昭一一・九・二新聞四〇三八・八）。

四　文書成立の否認に対する制裁

民訴三三一条は、「故意又ハ重大ナル過失ニ因リ」真実に反して文書の真正を争った当事者又は代理人に対する制裁を規定しているが、その故意又は過失の認定について、次の判決がある。

【25】「株式会社甲銀行ヨリ抗告人ニ対スル約束手形金請求訴訟ノ第二審口頭弁論ニ於テ、抗告人ガ相手方提出ノ甲第二号証特約証ニ対シ最初其ノ全部ノ真正ヲ争ヒ、後ニ至リ其ノ中抗告人名下ノ印章ノミヲ認メタルコトハ記録上明白ニシテ、該訴訟ニ於テハ甲第二号証ハ抗告人ガ既ニ其ノ名下ノ印章ヲ認メタル以上反証ナキ限リ全部真正ナリト推定スベキモノナリト雖、此ノ事実ノミニ依リテハ、抗告人ガ甲第二号証全部ノ真正ナルコトヲ知リ又ハ知リ得ベカリシニ拘ラズ、故意又ハ過失ニヨリ之ヲ争ヒタルモノト断ジ得ベキニ非ズ」（大判昭六・三・一〇裁判例五民三二）。

三　実質的証拠力

一　総　説

（一）　処分文書と報告文書　　書証の実質的証拠力の判定に当つては、処分文書と報告文書とを区別しなければならない。処分文書とは、それによつて証明しようとする法律上の行為がその文書自体によつてなされたもの、例えば判決書、手形、遺言書、解約告知書の如きであり、報告文書とは処分文書以外の文書、即ちそれによつて証明しようとする法律上の行為がその文書とは離れて存在し、その行為についての観察の結果、意見、感想等を記載したもの、例えば戸籍簿、商業帳簿、契約書、受取証、普通の手紙の如きである。処分文書については、真正に成立したと認められる以上、作成者がその行為をなした事実が完全に証明されるのに対し、報告文書の実質的証拠力は、作成者の観察及び表現の正確度、性格、作成の目的、時期、記載事実の性質、記載の体裁等あらゆる事情を斟酌して、裁判官の自由心証によつて判断されなければならない。

これらについての適切な判例は見付けることができなかつた。ただ、報告文書について一定の理由をあげて原審が信用しなかつたことを是認し又は信用すべきでないとした若干の判例はある（後述三の三（三）参照）。処分文書についても、その解釈は問題となり（後述三の三（一）参照）、また処分文書に記載されていてもその作成の場所、日時の如きは、性質上報告文書である。判決書は処分文書であるといつても、それは判決がなされたか、どういう内容の判決がなされたかという事実を証明するためには処分文書であるという意味であって、判決書の中でなされている事実判断をその事実を証明するために利用する場合には、判決書も報告文書である。後述三の二（六）において判決書を取扱っているのは、この意味における報告文書としての判決書についてである。

（二）　書証と他の証拠との関係　　自由心証主義の下においては、書証の証拠力とその他の証拠の証拠力との間に法律上優劣がなく、書証の内容と他の証拠殊に人証の内容とが抵触するとき、そのいずれを採用しいずれを排斥するかは事実審裁判官の自由であることはいうまでもない。判例を一、二挙げると、

【26】「原院ハ其双方ノ立証セル甲号乙号証タル書証ヲ始メ人証等ヲ斟酌シ、自由ナル心証ヲ以テ被上告人ノ主張スル事実ヲ真実ト認メ、上告人ノ請求ヲ排斥シタルモノナレバ、縦シヤ上告人ノ立証ニ係ル甲号証中ニ反対ノ事項記載アルコトヲ認メナガラ、之ヲ採用セザレバトテ、斯ハ固ヨリ原院ノ職権内ナル証拠ノ取捨ニ属スルヲ以テ、之ヲ違法ト云フヲ得ズ」（大判明三六・一二・二三民録九・一四六二）。

【27】「証拠ノ採否ハ事実裁判官ノ専権事項ニ属スルヲ以テ、当事者ガ提出シタル証拠ノ書証タルト人証タルト将又其他ノ証拠資料タルトヲ問ハズ、事実裁判所ガ之ヲ採用セザルコトヲ不当トシテ為シタル論難ハ上告適法ノ理由ト為ラズ」（大判大九・一〇・四民録二六・一四二五——この事件では書証の方を採用している）。

（三）　証拠説明　　書証と人証との間に証拠力について法律上の優劣がないとしても、書証、殊に契約書、領収書、商業帳簿等は、一般的にいってその実質的証拠力が強いということができる。それで人証を採用してこれに反する書証（殊に上記のような書証）を排斥する場合に、判決理由の中で、その書証排斥の理由を説明する必要がないかということが問題となる。そしてこの点については、その必要がないとす

る判例もあれば、その必要がある（排斥の理由を示さないと理由不備の違法があり、上告審で破棄される）とする判例もある。前者の例としては、例えば、

【28】「裁判所ニ於テ証書ノ内容ヲ措信セズトシテ採用セザル場合ニ於テハ、何ガ故ニ措信スルニ足ラザルヤ所謂所論ノ不信ノ理由タル経路ノ如キハ、必ズシモ之ヲ判示スルノ要アルコトナケレバ、原院ガ此ノ点ニ付説示スル所ナカリシトテ、之ヲ以テ理由不備ノ違法アリト謂フヲ得ズ」（大判大一五・七・一二評論一五民訴四六九）。

後者の例は後に、殊に三の三(二)において、数多く出てくるところである。この対立は古くからあるのであるが、幸にして、昭和三二年に最高裁判所が——小法廷は異なるが、共に全員一致で——この両様の判決をしているので、最近の裁判所の態度を明らかにするために、この二つの判決をやや詳細に研究することとする。

(1)　書証排斥の理由を説示する必要がないとする判決

【29】「裁判所が証拠を排斥するにつき、排斥する理由を一々説示する必要のないことは、当裁判所の判例とするところである（昭和二二年(オ)第二七号同二三年二月一〇日言渡昭和二五年(オ)一五号同二九年二月一八日言渡当裁判所各判決参照）」（最判昭三二・六・一一(三小)民集一一・六・一〇三〇）。

この事件は、売買名義での所有権移転登記の抹消登記を請求した事件で、原告は、右売買名義の取引は、訴外人の借金のために自己の不動産を売渡担保にしたものである（そして、その訴外人が債務を弁済したから、所有権が復帰した）と主張したのに対して、被告は、右取引は買戻約款付売買である（そして、その買戻権が消滅した）と主張した。原審が原告の主張を認めたので、被告が上告し、その上告理由の一つとして、原審は某々証人の証言ならびに乙

第一号証(売渡証書)、乙第二号証(領収書)を排斥しながら、その排斥の理由を示していないのは、民事訴訟法ならびに憲法の精神に違反すると主張し、さらに他の上告理由として、甲第一一号証(某日までに金五〇万円と登記費用等を支払えば、本件物件を買戻し得る旨記載した売買契約書)がありながら買戻約款付売買を否定し、また前記乙第一号証同第二号証を措信しなかつたが、このように「自分の認定に都合の悪い証拠には目を背け、都合のよい証拠にはその信憑性のうすいものでも全面的に採用し、これを事実認定の重要な資料とする原判決は、採証法則に違背するもので、真実の事実を著るしくゆがめたものであつて、これは明らかに判決に影響を及ぼす採証法則の違反というべきものである」と主張した。

これに対して、最高裁判所は前掲のように、証拠排斥の理由を一々説示する必要はないとしたのであるが、実は原審判決は、証拠に基いて本件の取引の経過を詳しく述べて、売渡担保であつたという事実認定をした上で、次のように書証排斥の理由を説示しているのである。

「もつとも、前記乙第一号証（売渡証書）及び同第二号証（領収書）によれば、単純な売買が成立したかのようであるが、右は前記のような金員貸借成立の経緯から、単純売買を仮装したに過ぎないこと前記証拠上明らかであり、又甲第十一号証（売買契約書）には、前記の如く一見買戻約款付売買と見られる記載があるとは言え、同証が作成、授受された経過は前認定のとおりで、控訴人に右記載通りの拘束力を及ぼすものと言い難いのみならず、さらに該証を仔細に検するとき、買戻期間経過後においても、毎月損害金の支払をする限り、買戻を求め得る旨記載されていて、むしろ譲渡担保たるの消息を窺わしめるものがあつて、いまだこれらは、前認定を左右すべき資料となすに十分でなく、他は該認定を覆し、被控訴人主張の買戻約款付売買を確認するに足る証拠がない」

即ち、現実には原審が書証排斥の理由を示しているのであるが、上告人が書証排斥の理由を示していないと主張したので、最高裁判所が「いや、そもそも証拠排斥の理由は一々説示する必要もないのだ」といつたものである。その「一々」という言葉に特別な意味をもたせてあるのかどうか、言い換えると、説示する必要のあるときもあるという意味であるのか、いかなる場合にも説示する必要がないという意味であるのかは明らかでないが、原審が、普通人ならば当然信用するであろう書証を排斥して、しかも排斥の理由を全然説示しなかつた場合についての判決ではないことに、注意しなければならない。

なお、右の判決に引用されている二つの判例は、共に判例集には登載されていないが、その前者即ち昭和二三年二月一〇日の判決は第三小法廷の判決、その後者即ち昭和二九年二月一八日の判決は第一小法廷の判決であるということで、後者の判決文は大場調査官によつて法曹時報に紹介されており、次のようである。

【30】「証拠の信憑力は、証拠の内容、その成立の過程、その他諸般の事情により形成せられるものであり、しかもこの証拠の信憑力を形成すべき諸般の事情は概ね互に相関連し混然一体をなして信憑力形成の事由となるを常とするのであり、その一つ一つを分離独立せしめて信憑力形成の事由として観察することは許されないところなのである。換言すれば一定の証拠を措信すべきか否かの理由は、それらの信憑力形成の事由たる諸般の事情の一つ一つについて論理的に解明することは不可能でもあり、また事物自然の道理にも反するものといわなければならないのである。いわゆる自由心証とは単に法定証拠主義の束縛から解放される

という意味ばかりでなく、裁判所が証拠の信憑力に対する心証の形成について論理的にその理由を解明することなく、証拠の採否を決定し得るとの意味を包含するものといわなければならない。従来の大審院判例においても、証拠を措信しない理由のごときは判決に説示する要なしとせられていたのであるが、この判例は前述の意味において正当である」（最判昭二九・二・一八（一小）法曹時報九・八・一〇四九）。

もつとも、この事件が書証を排斥した事件であるのか、それ以外の証拠を排斥した事件であるのかは、明らかでない（この昭和二九年の判決とほぼ同趣旨が、最判昭二六・八・一（大）刑集五・九・一六八四の沢田・井上・岩松三裁判官の共同少数意見の中で述べられているが、それは刑事事件で、証言の採否について述べたものである）。

(2)　書証排斥の理由を説示しなければ理由不備であるとする判決

【31】「右各事実（上告人が原審で主張したが認められなかつた事実――筆者）について、その立証資料とされた甲第三号はその奥書の点に徴し反対事情の認められない限り、その記載内容を措信するのを当然とし、また、同じく甲第七ないし第九号証はその記載文面及び体裁よりして特に反対事実の認むべきもののない限り、その記載どおりの事実を認むるのを当然とし、以上書証を所論人証……と照合して、考量するときは右各事実が一応肯定されたであろうと認められるにも拘らず、原判決は右各書証について何ら首肯するに足る理由を示すこともなく、ただ漫然とこれを採用できないとしたのは審理の不尽であつて、理由不備の欠陥を蔵するものと考えざるを得ない」（最判昭三二・一〇・三一（一小）民集一一・一〇・一七七九）。

この事件も土地に関する事件であつて、その土地の所有権登記はA→B→C（Bの家督相続人）→D→Eと移転しているのであるが、原告が、（イ）原告は本件土地の買入代金四〇〇円を出損した外、現実にこれを使用収益しており、殊にその一部はこれを訴外甲に賃貸していたこと、（ロ）原告は本件土地買取方の交渉をBに依頼したところ、その売買契約成立後、売主（Aの先代）が突如殺害され、その家督相続人であるAが右売買契約を否認して登記手続を肯じなかつたので、原告はやむなく右売買契約の証書面上の買主であつた右Bをして、Aに対して所有権移転登記手続請求の訴を提起させ（その訴訟に要した費用も自己が負担した）勝訴判決を得て、A↓Bの移転登記がなされたことを主張し（前掲判決にいつている「右各事実」とは、これらの事実である）、Bの子Cが登記名義が自己であることを奇貨としてDに売却し、Dがさらに Eに売却したものであるとして、CDE三人を被告として土地所有権確認等を請求したのが、本件である。

判決で問題とされている甲第三号証は、原告が訴外甲に対して賃貸の際に交付した念書（甲が借地の上に建物を建てるからといつて要求して交付してもらつた念書）であつて、その文面には「右土地拙者所有の処云々」とあり、この念書はBが代書人として作成したものであつて、その旨の奥書と署名押印とがある。また甲第七ないし第九号証は、原告の金銭出納を記入した帳簿であつて、本件土地の買入に要した費用として、代金、登記料、訴訟に要した費用等を詳しく記入してある。

最高裁の判決は、前掲のように、「原判決は右各書証について何ら首肯するに足る理由を示すこともなく、ただ漫然とこれを採用できないとした」といつているが、原審判決は決して排斥の理由を全然示していないわけではない。少なくとも甲第三号証（念書）については、原審は他の証拠によつて、Bが原告及び訴外人から金員を借用して本件土地をA先代から買受けたものであり、本件土地を訴外甲に賃貸したのは、前記のようにBが原告に対して債務を負つていたので、その債務の利息に充当する目的で、原告において、所有権者であるBの承諾を得て本件土地を占有しこれを賃貸したのであると認定して、甲第三号証の記載は措信するに足らない、といつている。従つて、最高裁判所のこの判決は、右の程度の説示ではまだ十分でないとするものといわなければならない。

(3)　以上二つの判決を検討することによつて、【29】の判決理由として述べられた文言にかかわらず、最高裁判所は、契約書、領収書、商業帳簿等一般的には証拠価値の大きい書証を排斥するには、判決中その排斥の理由を説示することを要するとし、その説示の程度も相当高度であることを要求しているものということができる。もつとも【31】の判決に対しては、その要求が度を越しているという批判もあり（伊東乾・民商三七・四・五五九）、また、原審の事実認定には、当時九歳であつたBの子が二〇年後に証人として述べた証言が、重要な基礎になつているという事情も考慮して、判旨は妥当であるとする見解もある（穂積忠夫・法協七六・三・三九四）。要は、経験法則上通常信ずべき証拠を措信せずとし、又は通常証拠価値の少ない証拠を措信する場合には、通常人を納得させる程度にその理由を判決中に示すべしということであつて（拙著「新版証拠法」五二頁）、最高裁判所の判例も、少なくとも書証についてはこのことを認めたものということができる。ただその通常人を納得させる程度というのが、デリケートである。穂積氏指摘のように、措信した証拠の証拠価値が一般的には少なく、措信しなかつた反対証拠が一般的にいつて信用すべきものである場合には、要求される説明の程度が高くなるのは当然である。また、認定しようとする事実の発生することが極めて稀有例外であり、しかも反対の証拠もある場合に、その反対の証拠を排斥して稀有例外の事実を認定するにも、高度の説明が必要である。証言についてではあるが、そういう場合には特に説明を要するという高裁の判決がある。

【32】「証人もしくは本人の供述を信用するか否かについて特に経験則に従つているとの理由を示すことは必要でないとされているけれども、それは多くの場合ある証言を信用しても、信用しないでも、経験則に反することのない事情にあるからであつて、ある証言によつて認められる事実の生ずることが、きわめて稀有例外に属する場合に、その反対の証拠も現われている以上は、きわめて稀有例外の事実を肯定する証言は信用すべく、反対の証言は信用すべからず、とするについての説明がなくては、その証拠に対する判断が経験法則に従つていることを知るを得ないのである。しかるに原審は前段説示のごとき事情の下において右の点について、なんら、説明するところなく、ただ上告人本人の供述によつて認めるというのみである。原判決はその判示によつて事実認定の合理的根拠を理解することができず、結局証拠によらずして事実を認定した違法か、でなければ、理由の説明がない理由不備の違法があるものといわねばならぬ」（名古屋高判昭二四・六・二八民集二・一・九七）。

この事件で問題となつた事実は、契約解除権発生の要件としての相当の期間を定めてする履行の催告を、調停委員会の席上でしたという事実であつて、判決は、そういう催告は「世間でしばしば内容証明郵便の方法によつて行われる」のであつて、「調停委員会の席上でなされるということは、ずいぶん珍しいことで、われらの生活経験にてらして、例外中の例外に属する」といつている。

二　公文書

文書の成立の真正即ち形式的証拠力については、法律自体が公文書と私文書とについて異なつた取扱をしているが、実質的証拠力についても、一般的には公文書は私文書に比して証拠価値が大きいということができる。従つて、公の帳簿に権利者と記載されてある者は、真の権利者と推定すべしということになる。しかし、公文書についても、その証拠価値はもとより裁判所の自由心証によつて決すべき問題であつて、殊に反証によつて、文書に記載された事実と反対の事実認定をすることが許されることはいうまでもない。

【33】「文書ノ成立ノ真正ナルコトト其内容ノ真実ニ適合セルコトトハ、自ラ別問題ニ属ス。公文書ハ其成立ノ真正ニ付キテコソ一応ノ推定ハアレ、ソレニ記載シアル事実ナレバトテ、必ズシモ之ヲ真実ナリト認ムルコトヲ要スルモノナラザルノミナラズ、反対ノ証拠ノ存スル場合ニハ其記載ニ反スル事実ヲ確定スルコト固ヨリ之ヲ妨ゲズ。原審ハ種々ノ証拠ヲ示シテ、判示事実ト相容レザル乙号各証ノ記載ハ措信ノ価値ナキコトヲ明ニシタル上、之ヲ排斥シタルモノニシテ、何等違法ノ点ナシ」（大判昭九・一二・四新聞三七八九・七）（この公文書は村役場備付の地図のようである）。

公文書の記載にどの程度の証拠価値を認めるかは、公文書の種類、記載事項の性質、その事項を記載するに当つてどの程度の調査をするのか（或は、全然調査をせずに、申請通りに記載するのか）等にかかるものであるから、以下公文書の種類別に判例をみることとする。

（一）戸籍簿　裁判所が「他ノ反証ニ依リ戸籍簿記載ノ内容ガ真正ノ事実ニ反スルコトヲ認メタルトキハ、其ノ裁判ヲ為スニ必要ナル限度ニ於テ戸籍簿ノ記載ニ異ナル真正ノ事実ヲ認定スルコトヲ得ル」（大判大一一・一・一六民集一・一。同旨、大判明四一・一〇・九民録一四・九七四民抄録三五・七八三八。住民登録について、同旨、最判昭三三・六・一〇民集一二・九・一四一二）のであるが、反証がない限り、その登載事項は真正の事実であると推定しなければならない（大判明三七・一・二三民録一〇・二七民抄録二〇・三八五三）。新しい判例として、

【34】「乙第四号証甲（原告――筆者）の戸籍抄本中の……なる記載は、原告（被上告人）が諸般の状況によりその所属していた南方軍築城支部が作業に従事した最終日である前記日時（昭和二〇年八月一三日時

刻不明――筆者)、場所附近で戦死したものと認定する旨の認定官の認定に基き戸籍法八九条の報告により登載されたものと認定すべきであり、かかる場合原告は、反証のない限り右戸籍簿登載の死亡の日に死亡したものと認むべきである」(最判昭二八・四・二三民集七・四・三九六)。(註)

(註)　なお、「戸籍簿ノ記載ガ……仮令方式ニ適ハザル所アル戸籍簿ト雖ドモ、裁判所ガ之ヲ戸籍簿ト認ムルニ何等ノ妨ナシ」という判決がある(大判大二・一二・二四民録一九・一〇八二)。

(二)　不動産登記簿、土地台帳及び著作権登録簿

(1)　不動産登記簿について、

【35】「登記簿上の所有名義人は反証のない限り、右不動産を所有するものと推定すべきである」(要旨、最判昭三四・一・八民集一三・一・一)。

【36】「売買契約ヲ原因トシタル所有権移転ノ登記存スル場合ニ於テハ、反証ナキ限リ其ノ売買契約ガ真実ニ行ハレタルモノト推定スベキモノトス」(要旨、大判大一一・一・二〇民集一・四)。

それのみでなく、登記原因についても、

しかし、登記権利者一方のみの申請によつてなされる仮登記については、同様に論じることはできない。

【37】「仮登記ハ売買契約ニ因ル土地所有権移転ニ付為サルルトキト雖、所謂本登記トハ異ナリ、常ニ登記権利者一方ノミノ申請ニ依リ為サルルモノニ係リ、敢テ登記義務者タル売主ノ協力ヲ要セザルモノナレバ、斯ル仮登記存在スレバトテ、之ヨリシテ直チニ其ノ原因タル売買契約存在ノ事実ヲ推認スルガ如キハ、実験則上到底是認セラルベキモノニ非ズ」(大判昭九・一〇・六裁判例八民二三五)。

(2)　土地台帳は、「単ニ徴税ノ目的ヲ以テノミ編成セラレタルモノニアラズシテ、之ニ依リテ土地所有権ノ所在ヲモ証明スベキ性質ヲ有スル」のであるから、その登録に基いて所有権の所在を認定することは適法である(大判明四〇・二・二七民録一三・一八一民抄録三一・六七四五)。しかし、理由を明示してその登録を信用しないことも、もとより適法である(大判明四二・四・二九民録一五・四一五民抄録三六・八二五二)。なお、利害相反する当事者の一方のみの申請に基いて改訂した土地台帳附属の公図を、信用しなかつた判決がある(東京簡判昭三三・九・二二判時一七一・五一四五)。

(3)　著作権登録簿について、不動産登記簿と同様に、それに著作者として記載された者は真の著作者と推定すべしとする判決がある(大判大四・九・一三民録二一・一四四六民抄録六〇・一三三三九)。

(三)　市町村役場備付の図面　市役所又は町村役場備付の図面について、

【38】「村役場備付ノ図面タリトモ固ヨリ絶対的証拠力ヲ有スルモノニ非ザルガ故ニ、裁判所ガ的確ナル証拠ニ依リ右図面ノ記載ニ誤謬アルコトヲ認定スルコトヲ妨ゲザルハ言ヲ竢タズ」(大判大七・一二・一九民録二四・二三五〇民抄録八一・一九一三六)。

同様趣旨の判例が多いが(大判大九・八・九民録二六・一二一四民抄録八九・二一八一九、大判昭六・二・九新聞三二三三・一〇、大判昭一六・二・二六評論三〇民訴二四〇、大判昭一六・四・一六評論三〇民訴二四八、大判昭一六・一二・一九評論三二民訴一〇一)、措信しなかつた原判決を審理不尽又は理由不備の不法があるとした判決も二つ報告されている。

【39】「凡ソ公署備付ノ管轄区域ヲ表示セル図面ハ公吏ノ作成ニ係ルモノナルガ故ニ、反対ノ確証ナキ限リ其ノ表示ニ信ヲ措キ、之ニ証拠力ヲ認ムルヲ正当トス。故ニ本件係争地域ヲ含ム前掲広島市役所備付ノ字

図（甲第五号証）中偶々実地ト符合セザル部分アリトスルモ、本件係争地域ニ関スル部分ガ実地ト符合セザルノ確証ノ存セザル限リ、此ノ部分ニ関シ同図面ノ証拠力ヲ否定スルノ早計ナルハ勿論、仮ニ他ノ市町村ノ公図ニシテ杜撰ノモノアリタリトスルモ、斯ル事由ヲ以テ本件係争地域ニ関スル右字図ノ表示ヲ全然措信シ難キ確証ト為スヲ得ザルハ言フ迄モナシ。加之上告人ノ主張ニ依レバ……ナリト云フニ在リテ、之ニ依レバ一応……（同図面ノ……――筆者）部分モ亦之ヲ措信シ得ベキモノト推認シ得ラレザルニ非ズ。果シテ然ラバ、同字図ヲ以テ仍ホ実地ト符合セズ措信シ得ベカラザルモノト判示セムトセバ、前掲甲第七号証ヲ以テスルモ未ダ右字図ヲ正確ナルモノト断ズルニ由ナキ所以ヲ詳説スルコトヲ要スルモノト謂ハザルヲ得ズ。然ルニ原判決中此ノ点ニ付テ何等説明スル所ナシ。……畢竟審理不尽ニ非ズンバ理由不備ノ不法アルニ帰（ス）」（大判昭一四・一〇・三一評論二九民訴六）（同様に原審判決を審理不尽理由不備とした判決、大判昭一七・九・四評論三一民訴一二七）。

（四）　町村長の証明書　　町村長が作成した証明書について、信用しなくともよいとするもの（大判明三八・一〇・一一民録一一一三二六民抄録二七・五四九三――工作物の所有者が誰であるかについて他村の村長に出した書面、大判昭六・二・九新聞三二三三・一〇――町役場備付の分間図を作成する基本となつた野取図の証明）、事実認定の資料としてよいとするもの（大判大一五・五・二一民集五・三八四――仲立営業者であるという証明書）、有力な反証が提出されたのに村長の証明書のみで事実認定をしたのは審理不尽であるとしたもの（大決昭一四・一二・一九新聞四五一四・九――死者の最後の住所の証明書）がある。

（五）　公証人作成の公正証書　　その内容の真否について、

【40】　「公証人ガ法律行為ニ付キ作成シタル証書ハ、当事者ガ之ニ記載ノ如キ陳述ヲ為シタルコトニ付テハ反証ナキ限リ完全ナル証拠力ヲ有スレドモ、陳述ノ内容ガ真実ナリヤ否ヤノ問題ハ、証書ノ証拠力トハ関係スル所ナケレバ、原裁判所ガ、上告人ト甲間ニ係争売買ヲ為シタルコト公証人作成ノ証書ニ記載アルニ拘ハラズ、真実ニ売買ノ成立シタルコトヲ否定シタルハ、公正証書ノ証拠力ヲ無視シタルモノト謂フ可ラズ」（大判大一〇・七・八民録二七・一三六九民抄録九二・二三四五六）（同旨、大判大元・一一・一四民録一八・九七四民抄録四五・一〇四五〇。大判大九・八・九民録二六・一二一四民抄録八九・二一八一九も、裁判所は他の証拠によつて公正証書の内容と異なる事実認定をする

ることができるとする）。

公証人の面前で陳述した者が、取引の当事者として表示された者又はその代理人ではないのに、そうであると詐称し、公正証書に署名捺印することはありうる（大決昭六・四・一五新聞三三六四・九は、そういう公正証書は債務名義たる要件を具えないから、これに対しては執行文を与えてはならないとする）。代理人が出頭したのに本人が出頭したもののように記載されている公正証書について、「其証書ガ公正ノ効力ヲ有セザルハ勿論ナルモ、是レ亦一箇ノ証書タルコトヲ妨ゲザルヲ以テ、之ヲ他ノ証拠ニ参酌シテ事実判断ノ資料ト為スコトヲ得ベキモノトス」という判決がある（大判大三・一一・六民録二〇・九四三）。また、公正証書に家屋の形状、場所的関係、破損の有無を記載してある場合について、そういう事項は「私権ニ関スル事実ト謂フヲ得ザルヲ以テ」、その文書は「公証人ガ其権限ニ於テ作成シタル文書」ではなく、従つて「公正証書トシテ其内容事項ニ付キ完全ナル証拠力ヲ有スルモノト謂フ可ラズ」といつている判決がある（大判大一〇・一一・四民録二七・一九四六民抄録九三・二三八六一）。従つてその証拠価値は裁判所の自由心証によつて判断すべきであるというのであるが、前に書いたように「私権ニ関スル事実」についても、「完全ナル証拠力」はなく、裁判所の自由心証によつて判断されるのである。

(六)　判決書

(1)　民事判決書については、判決書が既判力以外において他事件の事実認定にどういう証拠力を有するか（これを「判決の解釈」といつている）は、他の書証と同じく、事実承審官の判断に委ねられているとする古い数個の判決があり（大判明三三・三・五民録六・三・一九民抄録五・八九四、大判明三六・一・二八民録九・九九民抄録一六・二九四二、大判明三六・一二・一六民録九・一四二六民抄録一九・三七九七。行政裁判所の判決書について、同旨、大判大二・一〇・六民録一九・七九九民抄録四八・一一一二〇）、また、「擬制自白にかかる事実に基いてなした判決は、この事実の存在を証明する文書としては、極めて薄弱な証拠力を有するに過ぎない」という判決がある(要旨、東京高決昭三〇・三・一〇民集八・二・一四七)。

(2) 刑事判決書について、

【41】「所論刑事判決において本件六千円の債権が存在するものと認められたからといつて、民事判決においてそれと反対の事実を認定することは固より妨げない。………刑事判決で存在するものと認められたということは、ただその判決をした裁判官がそう思つたというだけのことで、果して真実に存在したかどうかは別問題である。それ故原審が刑事判決で存在せるものと認定されたことを認めながら、本件において実際には存在しないものと認定したからといつて理由に齟齬あるものということは出来ない」(最判昭二五・二・二八民集四・二・七五)。

同趣旨の判決は古くからあつた(大判明三四・四・三〇民録七・四・一〇三民抄録八・一六〇一、大判明三四・五・一三民録七・五・七〇、大判明三四・七・四民録七・七・一七、大判明四三・二・二二新聞六三一・一八)。

(七) 口頭弁論調書　口頭弁論調書については民訴一四七条に、「口頭弁論ノ方式ニ関スル規定ノ遵守ハ調書ニ依リテノミ之ヲ証スルコトヲ得。但シ調書ガ滅失シタルトキハ此ノ限ニ在ラズ」という、証拠方法を法定した特別な規定がある。この規定及びその前身である旧一三四条(「口頭弁論ノ為メ規定シタル方式ノ遵守ハ調書ヲ以テノミ之ヲ証スルコトヲ得」)については判例が多いが、頁数の関係上ここには最高裁判所時代になつてからの関係判例のみをみることとする。

(1) 調書の記載が不十分であつた例として、

【42】「原審………昭和二十九年八月二十一日の口頭弁論調書によれば裁判長は判決言渡期日を延期し同年十月十四日に言渡をする旨告知しているが、裁判長以外の列席した裁判官の氏名の記載がなく、昭和二十九年十月十四日の口頭弁論調書によれば、裁判長は判決原本に基き主文を朗読して判決を言渡しているが、前同様裁判長以外の列席した裁判官の氏名の記載がない。即ち原判決は合議裁判所の判決であるから合議裁判

所を構成する定数の裁判官が関与して言渡を為すべきで、合議体の判決を単独裁判官が言渡すことは違法である。そして前記口頭弁論調書によつては合議体による言渡であることの証明ができないから民事訴訟法第百四十七条、第三百八十七条に従い原判決を取消すべきであ(る)」(名古屋高判昭三〇・一〇・一七民集八・一〇・七八二、七九六)。

(2)　判例は、口頭弁論の方式に関する事項は、調書に記載がなければ、他の証拠でその事実が存在したことを証明できないのみでなく、調書に記載があれば絶対的証拠力を有し、他の証拠でその事実のなかつたことを証明することもできないとする。

【43】「原審における……の本件口頭弁論期日の調書には『被控訴代理人甲出頭』と記載してあるから、同人が右期日に出頭したものと認める外はない」(最判昭二六・二・二〇民集五・三・七八)。

【44】「原審の……判決言渡調書には『裁判長は判決原本に基き主文を朗読して判決を言渡した』と明記されている。そして判決の言渡の方式が民訴一四七条にいわゆる口頭弁論の方式に該当することは多言を要しないところであつて、同条は口頭弁論の方式に関する規定の遵守は調書に依りてのみを之を証することを得る旨明定しているのであるから、右調書の記載に反する口頭弁論の方式に関する事実を主張する論旨は理由がない」(最判昭二六・二・二二民集五・三・一〇二、判決が八月二九日に言渡され判決原本が九月一二日に書記官に交付されているので、上告人が判決原本に基かずに言渡したのだと主張した)。

(3)　しかし、調書自体からその調書に記載された事実の存在し得ないことがわかるときは、その事実が存在しないと認めなければならない。

【45】「原審の判決言渡調書によれば、原判決は昭和三十二年五月十五日原裁判所第一民事部法廷において、原本に基き主文を朗読して言渡された旨の記載がある。……しかるところ、原判決原本によると、その第一葉欄外上段には、担当書記官の『昭和三十三年二月一日判決原本領収』の附記とこれに対する捺印がなされている上に、同原本用紙十四枚の各欄外下段にはいずれも（32. 10. 72, 000）の活字文字が印刷されてい

て、これらの原本用紙が裁判所備品の用紙として昭和三十二年十月に印刷されたとの趣旨を現わしているものであることが、当裁判所に顕著な事実といわねばならないから、これらの事実を綜合するときは、原審の判決言渡は明らかに判決原本に基かずして言渡されたものと認めざるを得ない」（広島高岡山支判昭三四・九・二八行政例集一〇・二〇四八）。

また、民訴一四七条によって証明に役立てることのできる調書は、もとより適法に作成された調書でなければならない（東京高判昭三二・一〇・一四新聞七六・一〇は、裁判官の署名捺印のない調書につき、仙台高秋田支判昭三二・一二・二三民集一〇・追一は、公判に出席した裁判官として記載されていない裁判官の署名捺印のある調書につき、大阪高判昭三〇・一一・一八民集八・九・六四六、六五三は、裁判所書記の押印を欠く調書につき、いずれも、調書は無効であつて規定の遵守を証明するに役立てることができないとする）。従つて、調書が偽造、変造されたと主張することは許され、他の証拠によって調書の偽造、変造を証明することまで禁止されたものではない（仙台高決昭三四・一・一三下級民集一〇・一・二三。この決定は、調書の偽造変造の主張があれば、その当否を判決で判断すべきであるという）。

職権調査によって調書の変造を認定した事件がある。

【46】「当裁判所が職権を以て調査したところによれば、所論昭和三一年三月一六日の口頭弁論調書中、『被控訴代理人は』の次に『従前の口頭弁論の結果を陳述し続いて』と記載されたのは、右調書の完成後おそらくは記録を当裁判所に送付した頃において、立会書記官甲以外の者によつてなされたものであることが認められる。そして弁論の更新がなされたか否かは、民訴一四七条にいわゆる口頭弁論の方式に関するものとして調書によつてのみ証することをうるものと解すべきであるから、本件においては、適法に弁論の更新が行われたものと認めるをえない」（最判昭三三・一一・四民集一二・一五・三二四七）。

三　私文書

私文書の証拠価値の判断が裁判官の自由心証に委ねられていることは、いうをまたない。商業帳簿のように一般的にいつて証拠価値の大きいもの（刑訴第三二三条が、商業帳簿に対して、戸籍謄本、公正証書謄本等とならんで、証拠能力を認めているのは、このためである）についても、同じことである。

【47】「上告人ハ其立証トシテ甲第一号証ノ商業帳簿ヲ提出シタルモ、原裁判所ハ其記載明瞭ヲ欠クノ故ヲ以テ信憑スルニ足ラズト判示シタルモノ（ナリ）。………商業帳簿タリトモ絶対的力ヲ有スルモノニ非ザルガ故ニ、之ヲ信用スルト否トハ一ニ事実裁判所ノ自由ナル判断ニ属スルモノニシテ、之ガ判断ノ当否ヲ論ズルニ過ギザル本論旨ノ理由ナキヤ明カナリ」（大判大七・三・七民録二四・三七四民抄録七六・一七七〇一）（古く明治三〇年代にも同旨の数個の判決が報告されている。例えば、大判明三六・六・二民録九・六五九民抄録一七・三二九三）。

この事件では、原裁判所が「其記載整然明瞭ヲ欠キ」という、信用しない理由を述べているが、次の判決はその必要もないとしている。

【48】「会社財産目録ト雖、其記載内容ニ付テハ裁判所ハ自由ナル心証ニヨリ其真偽ヲ判断スベキモノニシテ、其内容必ズシモ信ズベカラズトノ心証ヲ得タル以上、特ニ其理由ヲ説明スルノ要アルモノニ非ズ」（大判昭一七・一・二七評論三一民訴七九）。

なお、確定日附ある証書も、作成の日について完全な証拠力をもつのみで、その内容については裁判所の自由心証に委ねられる（大判明三八・九・二七民録一一・一二二六民抄録二六・五四三六、大判大四・六・八民録二一・九一〇民抄録五七・一二八七四、大判昭一二・一〇・八判決全集四・二〇・四）。

私文書の証拠価値の判断は裁判所の自由心証に委ねられるものではあるが、私文書についても――殊に商業帳簿や契約書等については――その記載は一応信用すべきであるとするのが判例の態度である。証書の記載と「相容レザルニ非ザル人証」がある場合について、

【49】「事実裁判所ハ当事者ニ於テ成立ニ争ナキ書証ト相容レザル人証ニ措信シ、因テ以テ該書証記載ノ事項ト反スル事実ヲ肯定スルコトヲ得ベシト雖モ、斯ル書証ト相容レザルニ非ザル人証ニ措信シ、因テ以テ該

書証記載ノ事項ト反スル事実ヲ肯定スルコトヲ得ザルモノトス。蓋挙証者ノ提出シタル書証ニシテ相手方ガ成立ヲ認メタルモノハ真正ナル証書ナルヲ以テ、其記載事項ハ反証アルニ至ルマデ之ヲ真正ナリト推定スベキヲ当然トシ、又斯ル証書ト相容レザルニ非ザル人証ハ斯ル反証ト為スニ足ラザレバナリ。………然ルニ原裁判所ハ漫然………ト判示シ、甲第四号証ノ反証ト為スニ足ラザル右人証ニ基キ同号証記載ノ事項ヲ否定シタルハ、前示推定ニ関スル法則ニ違背シタルモノニシテ、到底破毀ヲ免カレズ」(大判大八・二・一九新聞一五四五・一九)。

その人証の「相容レザルニ非ザル」程度如何にもよることであろうが、その判決は相当強く書証の証拠価値を認めたものである。

以下、私文書の証拠価値に関する判例について述べようとするのであるが、文書の解釈について相当数の判例があるので、先ず、(一)において、それについて述べ、ついで、(二)文書記載は一応信用すべしとする判例、(三)書証排斥の理由をあげた判例、について述べることとする。

(一)　書証の解釈　　書証については、その意味がそこに記載されている文言の通りで特に解釈ということの必要のない場合も多いが、またしばしば、解釈によってはじめてその真の意味が明らかにされることもある。判例は、書証の解釈も事実問題であって、事実審の専権に属するが、ただそれが経験則に反するものであるときは上告審の干渉を受けるとする。

(1)　書証の解釈は事実審の専権に属し、その解釈に当っては他の証拠を参酌することができるとする判例、

【50】「契約文詞ノ解釈即チ契約書ニ使用セラレタル文字ガ如何ナル意義ヲ有スルヤ、又当事者ガ如何ナル契約ヲ為シタルヤハ事実認定ノ問題ニシテ、事実裁判官ノ自由ナル裁量ニ属スルモノナルコトハ、夙ニ当

院ノ判例トスル所ナルヲ以テ、原院ガ甲第一号証乙第一号証契約書ノ第四項ノ文詞ヲ解釈スルニ当リ、証人ノ証言ヲ参酌シタルハ相当ニシテ、上告論旨ハ理由ナシ」(大判大八・九・四民録二五・一五六二民抄録八五・二〇二四八)(同旨、大判明三八・二・一九民録一一・一二八民抄録二四・四八六九、大判大九・六・二六民録二六・九三八民抄録八八・二一五九七)。

手形について、

【51】「手形債権ハ証券的債権ナレバ、其署名者ノ責任ハ一ニ手形ノ文言ニ依リテ之ヲ定ムベキモノナリト雖モ、其文言ノ意義ヲ変更又ハ補充スルニ非ザル限リハ、裁判所ハ諸般ノ証拠ニ依リ之ヲ判定シ得ルコトハ、従来当院ノ判例トスル所ナリ(判例省略)。本件ニ於テ原院ハ、甲第一号証ノ契約手形ニ支払場所トシテ下伊那郡飯田町五百一番地トアルハ公簿上ノ地番五百一番五百二番合併地ロ号大島太郎方ヲ通俗ニ五百一番地ト指称セラレ居タルニ基キ之ヲ記載シタルモノニシテ、同町五百一番地細田長三郎方ヲ記載シタルニ非ザルコトヲ、各原判決挙示ノ事実証拠ニ依リ解釈判断シ、手形文言ノ意義ヲ変更又ハ補充シタルニ非ザルヲ以テ、原院ノ専権ニ属スル証拠ノ取捨判断ヲ非難スルニ過ギザル本論旨ハ理由ナシ」(大判大一〇・六・八民録二七・一一一九民抄録九二・二三二七四)。

なお、手形に満期日として記載されてある「四月二十五日」を「明治三十六年四月二十五日」と解釈した判例(大判明三七・七・四民録一〇・一〇二二民抄録二二・四三五四)、手形署名者甲の肩書の「住所有馬郡三田町大同信託株式会社三田支店」という記載を、「大同信託株式会社ノ為ニスルコトヲ示セルモノニ非ズシテ甲自身ノ居所ヲ表示セルモノニ外ナラズ」と解した判例(大判昭五・二・一五新報二一六・一三)、約束手形の裏書人として「滝安商店代表者曽根竹次郎」という記載があり、その滝安商店という商号が曽根八蔵の商号で、曽根竹次郎が八蔵の代理人であることを表示するために記載したものであるか、右商号が竹次郎自身の商号で同人が自己の商号を記載したものであるかについて争がある場合に(前者ならば裏書不連続)、竹次郎自身の商号であると判定した判例(大判大三・六・二三民録二〇・四八五民抄録五〇・一一六六九)があり、また、普通の証書について、個人資格以外にある種の資格をもつている者が作成した数通の証書があり、その中に作成名義として単に当人の氏名のみを記載したものと、その氏名にその特別の資格の肩書を附したものとがある場合に、証拠によつて肩書を附したものも個人の資格で作成したものと認定した判例(大判昭六・三・一二新聞三二五六・九)も報告されている。

(2) 書証の解釈は、先ず第一にその記載自体を基礎としてしなければならない。

【52】「証拠ノ判断及事実ノ認定ハ、固ヨリ原審ノ専権ニ属スルトコロナリト雖、凡書証ノ判断ヲ為スニハ其ノ記載自体ヲ基礎トスベク、若其ノ記載自体ニ反スル判断ヲ為シタルトキハ、採証ノ原則ニ戻リ訴訟手続ニ違法アルモノト為ルガ故ニ、原審ノ措置ハ右ノ違法アルカ或ハ少クトモ前掲特段ノ理由ヲ十分ニ掲ゲザリシ点ニ於テ理由不備ノ違法アルモノトス」(大判昭五・三・一〇新聞三一一五・一一)。

書証の解釈はその記載を基礎としてしなければならないが、解釈の目的は当事者の真意を探究するにあるから、記載された文字に拘泥すべきではない。処分文書についてさえ、次のような判例がある。

【53】「証書ノ解釈ヲ為スニハ、之ニ使用セラレタル文字ニ拘泥セズシテ其ノ作成ニ関与シタル当事者ノ真意ヲ探究シテ之ヲ為スベキモノナルコトハ解釈上ノ原則ニシテ、特ニ遺言書ハ遺言者ニ於テ近キ将来ニ於ケル死亡ヲ予期シ若ハ死期ノ旦夕ニ迫レルニ際シテ之ヲ為スモノニシテ、普通ノ証書ト異ル所アルヲ以テ、最モ此ノ点ニ留意シテ解釈セザルベカラザルモノトス」(大決昭五・四・一四新報二二一・一〇)(同旨、大判昭八・一〇・三〇新報三四六・一四——上記昭和五年の決定と同一紛争に関する判決である)。

そして当事者の真意を探究するために他の証拠をも参酌してよいことは、前にかかげた【50】【51】等の判決もいつているところである。

(3)　当事者の真意を探究するには、当事者が達成しようとした経済的又は社会的目的をとらえて、大局的に個々の記載の意義を判断することを要する。この点で特に注目すべきは、いわゆる例文解釈であつて、借地法制定前に、建物を所有するための地上権又は賃貸借の契約書中のある種の約款について、裁判所はしばしば、それを例文であつて当事者を拘束する趣旨ではないとしたのであつた。その一、二の例を挙げると、次のようである。

【54】　「賃貸借契約証書ニ地所ノ賃貸借期間ヲ満五箇年ト定ムル旨記載アリト雖モ、当事者ガ単ニ賃料据置ノ期間ヲ定ムル為ニモ亦往々借地期間トシテ記載シ之ヲ授受スルコトハ坊間多ク見ルノ事例ナルヲ以テ、斯ル例文的ノ文詞ノミニ依リテ直ニ借地期間ヲ定メタルモノト解スルヲ得ザルノミナラズ、借地関係ノ事情ニ依リ寧ロ当事者ノ意思ハ建物朽廃ニ至ル迄賃貸借関係ヲ持続セシムルニ在リト認ムルヲ至当トス」（東京地判大四・一一・二二新聞一〇七八・一五）。

【55】　「甲第一号証ニ依ルトキハ、本件借地関係ハ賃貸借ニシテ其存続期間ハ五ケ年ナルカノ如キ感ナキニアラズト雖モ、原審証人甲乙丙ノ各証言ヲ綜合スルニ本件地所ニ付テハ借地主ニ於テ地代ヲ滞ラシメザル限リ永久ニ貸与スル旨ノ約アルコト明カナルヲ以テ、甲第一号証ハ単ニ借地関係ヲ表示スルノ例文ニ過ギズシテ、其存続期間ノ定メノ如キハ地代据置ノ期間ヲ定メタルニ止マルモノト解スベ（シ）」（東京控判大五・九・二六新聞一一八〇・三二）。

例文に過ぎないものではないと原審が判定し、大審院もそれを是認した例、

【56】「甲第一号証ニ表示セルガ如キ『賃借家屋ニ賃借人ガ造作物附属品等ヲ設置スルモ賃貸人ノ指示ニ従ヒ、現状ノ儘返還シ如何ナル名義ヲ以テモ、賃貸人ニ対シ財産上ノ請求ヲ為サザルベシ』ト云フ旨趣ノ特約、若クハ『解約ノ申入ヲ受ケタルトキハ、爾後十日間内ニ該賃貸借終了ス』ト云フ旨趣ノ特約ハ、孰レモ所謂例文ニシテ如何ナル場合ニ於テモ当事者ハ之ニ依拠シ之ニ覊束セラルル意思ヲ有セザルモノナリト云フガ如キコトハ、実験則上必ズシモ常ニ爾リト云フヲ得ズ」(大判大一〇・五・三民録二七・八四四)。

なお、例文というわけではないが、いわゆる出世証文中の一約款を「取引ノ通念ニ照シ当事者ヲ拘束スルノ趣旨ニ非(ズ)」とした判例がある。

【57】「本件貸借証書タル甲第一号証ニハ、前記原審ガ認メタル元利金一時弁済約款ノ外『連借ノ者身代持直リ候折、或ハ家事上維持方法相立候節ハ是亦元利共一時ニ返金可仕候』ナル文詞ノ記載アルコトハ、原審ノ認ムル所ナリトス。由是観之本件貸借ハ、上告人等ニ於テ一時ニ全債務ヲ弁済スルノ資力ナカリシ為、毎年金四円宛ノ分割弁済ト為シタルモノニテ、当事者ノ意思ハ寧ロ、上告人等ガ資力ヲ有スルニ至リタルトキ即所謂身代持直シ或ハ家事上維持ノ方法立チタルトキニ至リ、始メテ元利金一時ニ弁済スベキコトヲ約シタルモノニ係リ、約一千年ニ垂ントスル間ニ於テ年賦金ノ弁済ヲ一回ニテモ怠リタルトキハ、分割弁済ノ契約ヲ取消シ元利金一時ニ弁済スル旨ノ約款ノ如キハ、取引ノ通念ニ照シ当事者ヲ拘束スルノ趣旨ニ非ザルモノト認ムルヲ相当トス。然ルニ原審ガ、右年賦契約ニ関スル元利金一時弁済ノ約款ヲ以テ当事者ヲ拘束スルモノト為シ、………敗訴ノ判決ヲ為シタルハ不法ニ事実ヲ確定シタル違法ア(リ)」(大判昭四・一二・二六新聞三〇八一・一六)。

(4) 書証の解釈は事実審の専権に属するといっても、──他の証拠判断及び事実認定におけると同様に──その解釈がいわゆる経験法則・実験則に違反する場合、言い換えると合理的でない場合には、上告審の干渉を受ける。

【58】「凡ソ証拠ノ取捨、事実ノ認定ハ事実裁判所タル原審ノ専権ニ属スルモノタルコトハ論ヲ俟タズト雖、苟モ一ノ証拠ニ依リテ或ル事実ヲ認定セントスルニ当リテハ、該証拠ノ記載又ハ供述ノ旨趣ハ其ノ実験上有スル意義ニ従ヒ之ヲ解釈スベキモノニシテ、特別ノ事情ナキ限リ之ニ反スル解釈ヲ許サザルモノ（トス）」（大判昭五・四・一〇新聞三一二四・一〇）。

もつとも右事件で具体的に問題となつたのは証言についてであつた。書証についての例として、

【59】「他ノ原因ニ基キ給付スベキ金銭ヲ以テ消費貸借ノ目的ト為スニ依リ消費貸借ガ成立シタル場合ニ於テハ、現実金銭ノ授受ナシト雖モ当事者ハ金銭ヲ授受シタルト同一ナリトノ観念ヨリ、其貸借関係ヲ言顕ハスニ一方ハ金銭ヲ貸渡シタリト云ヒ、相手方ハ之ヲ受取リタリト云フハ、普通ノ事例ナリ。故ニ此ノ如クニシテ成立シタル消費貸借ヲ証スル為メ作成セラレタル私署証書又ハ公正証書ニ用ヰタル貸渡及ビ受取ノ文字ヲ以テ直ニ現実金銭ヲ授受シタルノ意義ニ於テ用ヰタルモノト解スルハ、実験法則ニ反スルモノト謂ハザル可カラズ」（大判大二・一一・二〇民録一九・九八三）。

この判決は、原審が、金銭の授受がないのに貸渡・受取があつたと書いてある公正証書は、「現実ノ事実ニ吻合セザルガ故ニ……強制執行ノ基本タル債務名義トナルヲ得ズ」としたのを、くつがえした判決である。

売渡担保と解するかどうかについて、原審判決を破棄した判決が二つある。

【60】「原裁判所ハ……本件電話加入権ヲ売渡担保トシテ金千八百円ヲ貸渡シタリトノ……主張事実ヲ認ムルニ充分ナラズ、反テ……右電話加入権ヲ買戻約款附ニテ売渡シタル事実ヲ認定シ得ベシト判断シタリ。然レドモ甲第一号証ノ表面ニハ、……電話小石川局第二〇六二番ヲ千八百円ニテ売渡シ、大正十年三月三十一日迄ニ買戻ヲ為シ得ベキ旨ノ記載アルモ、其ノ裏面ニハ、大正十二年五月十五日金五百円貸増

ス、大正十二年六月四日金三百円貸増ス、目下合計金千八百円貸付ト記載アルヲ以テ、之ヲ表面ノ記載ト対照スレバ、甲第一号証ハ買戻約款附売買ノ証拠タルヨリモ、寧ロ……消費貸借並売渡担保ノ事実ヲ認ムベキ証拠ト為スニ足ルモノトス。故ニ其ノ証拠ヲ排斥セントスルニハ、之ヲ首肯スルニ足ル理由ヲ附セザルベカラズ。若シ夫レ原裁判所ニ於テ同証ノ裏面記載ヲ信用セザリシモノトセバ、其ノ旨ノ説明ナカルベカラズ。即原判決ハ此ノ点ニ関スル判断ヲ遺脱シタルモノト謂ハザルヲ得ズ」（大判昭五・六・一三裁判例四民七二）。

【61】「甲第一号証ノ公正証書ヲ精査スルニ、同証ニハ上告人ガ被上告人ニ対シ係争物件ヲ売渡シタル上被上告人ヨリ之ヲ賃借シタル旨記載シアレドモ、債務者ガ斯ル形式ヲ採リテ自己ノ所有物ヲ債務ノ担保ニ供シ、賃料名義ヲ以テ之ガ利息ノ支払ヲ為スコト、世上普通ノ事例ナルノミナラズ、同証ニ依レバ、上告人ハ土木請負業者ニシテ係争物件タル『レール』及『トロッコ』ノ如キハ其ノ職業上之ヲ必要トスルモノト認メ得ベキニ反シ、被上告人ノ職業ハ農ニシテ特別ノ事情ナキ限リ、斯ル物件ヲ必要トセザルモノト認ムベク、殊ニ同証ニハ上告人ガ賃貸借期間内何時ニテモ代金三百円ヲ返還シテ売買ヲ解除シ得ベキ旨ヲ明記シアルニ由リテ観レバ、被上告人ノ真ニ欲スルモノハ金三百円ニシテ係争物件ニアラザルコトヲ窺フニ足リ、右契約ハ特別ノ事情ナキ限リ売渡担保ノ約旨ヲ表明セルモノト解セラルルヲ以テ、同契約ガ単純ナル売買並賃貸借ナルコトヲ認ムルガ為ニハ、更ニ之ニ対シ何等カ特別ノ理由ヲ説明セザルベカラザルモノトス」（大判昭八・一〇・三〇新報三四六・二二）。

証書に消費貸借契約が成立したような記載がある場合に、原告が準消費貸借を主張したのに対して、原審が、その金額を限度として代金の支払を保証しその証としてこの証書を差入れたものであると認定したのを、次のようにいつて破毀した判例がある。

【62】「証書ヲ授受スルニ際シ其記載ガ簡単ニ失シ意ヲ尽サザル所アリ、或ハ又其記載正確ヲ欠キ、実際

ノ権利関係ト符合セザル個所ヲ生ズルコトアルハ、洵ニ已ムヲ得ザル所ナルベキモ、全然当事者間ニ成立セル権利関係ト没交渉ナル記載ノミヲ為シ乍ラ之ヲ以テ後日ノ証ト為サントスルガ如キコトハ、特別ノ事情アレバ格別、然ラザル限リ普通ノ理性ヲ有スル者ノ為スベキコトニ非ズ。然レバ原審ニシテ叙上ノ如キ事実ヲ確定セント欲スレバ、何等カ首肯スルニ足ルベキ特別ノ事情ノ存スルコトヲ明ニスルノ必要ア(リ)」(大判昭九・一〇・九裁判例八民二三六)。

前に引用したように、証書の記載自体に反する判断をしたときは採証の原則に戻るといつている判決があるが(前掲[52])、証書に弁済期を昭和三年二月三十日と記載してある場合に、原審が弁済期を同年二月二十八日と認定したのに対して、同年は閏年であるので二月二十九日と解すべきであるのに、二月二十八日と解することは「該証書ノ文言ニ反スル」といつた判例がある(大判昭六・七・一二新報二六三・一三)。

(二)　書証の記載は一応信用すべしとする判例　書証とされる私文書には、いわゆる一私人の作成した証明書、即ち本来は証人として法廷に出頭して宣誓の上陳述すべき事項を文書に書いて書証として提出したものから、契約締結の際に当事者間で作成した契約書、金を受取つた際に相手方に交付した受領証、日々の取引等を記入した商業帳簿等、種々の種類がある。それぞれの種類によつて一般的な信憑力も異なるが、契約書、受領証、商業帳簿等の記載は、特別の事情のない限り信用することができる。従つて裁判所も、それを信用しない場合には、判決理由の中でその信用しない理由を説明しなければならない(説明しなければ違法)というべきである。判例も一般にそういう態度を採つている。

(1)　契約書中の約款について事情によつては前に述べた例文解釈がなされることもなくはないが、一般的には契約書に記載された通りの内容の契約が成立したものと認定される。

【63】　「当事者ノ成立ヲ認メテ争ハザル契約ノ条項ハ、其記載ガ印刷ニ係ルト否トニ拘ハラズ、其当事者ニ対シテ効力ヲ有シ、当事者ハ之ニ覊束セラルルノ意思ヲ有スト推定スベキ筋合ナルヲ以テ、事実裁判所ニ於テ当事者ガ斯ル条項ニ覊束セラルルノ意思ヲ有セズト断ズルニハ、斯ル推定ヲ覆スニ足ルベキ事実、実験ノ法則又ハ慣習等ニ依拠セザルベカラズ。」

「然ルニ原裁判所ハ事茲ニ出デズ、漫然『凡ソ詳細ナル事項ヲ印刷シタル用紙ヲ使用シテ契約ヲ締結スル場合ニ、当事者ガ其記載ヲ以テ契約ノ条項タラシムルノ意思ナキトキニ於テモ、殊更ニ該部分ヲ抹消セズシテ之ヲ使用スルノ事例敢テ少カラザルニ徴スレバ、本件手形ニ於ケル損害賠償ノ予定ニ関スル記載モ亦一ノ例文ニ過ギズシテ、当事者ガ之ニ覊束セラルベキ意思ヲ有セザリシモノト解スルヲ相当トス』ト判示シ、何故ニ本件ノ場合ガ右判示ニ所謂少ナカラザル事例ニ該当スルヤヲ説示スルコトナクシテ上告人敗訴ノ判決ヲ為シタルハ、理由不備ノ違法アリ」(大判大七・七・三一民録二四・一三九九民抄録七九・一八四六〇)。

右の事件は、契約書といつても手形の事件であるが、賃貸借契約書――その中の、賃借人が契約の解除があつた日から三十日内に土地の返還をしないときは、その提供してある保証金は賃貸人に無償贈与するものとする、という条項が問題となつた――について、同様に、

【64】　「成立ニ争無キ契約書ニ掲記セル条項ハ当事者ノ真意ニ出デ、而モ其ノ趣旨ハ文面ノ表ハストコロノ如シト一応解スベキハ、特別ノ事情無キ限リ常識上ノ公理ト云ハザルヲ得ズ。………(原判決ガ)措信セズト為セシハ如何ナル理由ニ基クヤ………之ヲ知ルニ苦マザルヲ得ズ。原判決ハ理由不備ノ違法アルニ似タリ」(大判昭一一・六・二三裁判例一〇民一五七)。

普通保険約款については、特にこれに「依ラザル旨ノ意思ヲ表示セズシテ契約シタルトキハ、反証ナキ限リ其約款ニ依ルノ意思ヲ以テ契約シタルモノト推定スベク」、普通保険約款に依る旨を記載した申込書に任意調印して申込をして契約が成立したときは、「仮令契約ノ当時其約款ノ内容ヲ知悉セザリシトキト雖モ、一応之ニ依ルノ意思ヲ以テ契約シタルモノト推定スルヲ当然トス」る（火災保険契約について、大判大四・一二・二四民録二一・二一八二民抄録六三・一三七八四。生命保険契約につき同旨、大判大五・四・一民録二二・七四八民抄録六六・一四四三。なお、生命保険契約の復活のとき、特に申込書を使わずに「簡単ナル診査報告」という文書に署名捺印した場合も同じ、大判大一四・三・二三新聞二三九四・一九）。

最近にも、契約約款のあるものを例文だと主張したが、裁判所がその主張を認めなかった事件がある。それは売買契約書中の(ロ)売買代金の支払があるまで所有権を売主に留保するという約款と、(ハ)代金の支払を怠ったときは何等の通知催告等を要せずに物件を買主から取り戻すことができ、この場合には既収金を返還することを要しない旨の約款とについてである（割賦販売法制定前）。

【65】「控訴人は、右甲第一号証（売買契約証）中の右(ロ)(ハ)の特約の記載（第四条、第六条）はいわゆる例文であって、当事者双方ともこれに拘束される意思がなかったと主張しているけれども、およそ契約書を作成した場合は、特段の事情のない限り、契約書に記載してある事項は当事者双方ともこれは拘束される意思であったものと認めるのが相当であって、本件においてはかかる特段の事情があったと認められる証拠は何もないのである」（東京高判昭三二・五・二一新聞五七・一〇）。

これらの判決の趣旨をさらに進めて、契約書に記載のない事項は契約内容となっていない、と一応認定するという判決もある。

【66】「或取引ノ為メ証書ノ作成セラルル場合ニ於テハ、其取引ニ於テ当事者間ニ協定ヲ経タル全部ノ条項ハ証書ニ記載セラル可ク、其協定事項ノ一部ノミヲ証書ニ記載シ他ヲ缺如スルコトハ格段ノ事情ノ存スル場合ニ於テノミ之ヲ見ル。故ニ本件当事者間ニ作成セラレタル売渡証書モ亦普通ノ事例ニ従ヒ、協定事項ノ一部ノミヲ記載スルヲ要スル格段ナル事情判明セザル限リハ、取引条項全部ヲ記載シタルモノト認メザルヲ得ズ。然ルニ右証書ニハ売買ノ成立シタル旨記載セラルルト雖モ、買戻ノ特約ニ関シ記載セラルル所ナシ。従テ単純ナル売買ト認メザルヲ得ズ」（東京控判大二・三・三一評論二民一一三）。

同様に、賃貸借契約証書の末尾に甲会社専務取締役乙と丙会社関西支社長丁との二人の署名捺印があつて丙会社の代表者である上告人の氏名が出ていない場合について、「同号証ハ上告人ガ本件賃貸借契約ノ当事者ニ非ザルコトヲ証スル有力ナル証拠」であり、上告人個人が借主であると判断するためには、その理由を示さなければならないとする判決もある（大判昭八・四・二六裁判例七民一〇一—上告人がはじめ借主であると訴訟上自白し、後にその自白が真実に適合しないと主張した事件）。

(2)　借用証書に借主と表示されてある者は、特別の事情のない限り借主であつて、その者は形式上の名義人として証書を差入れたのみで債務者との間で何等の債務をも負担しない約束であつたと認定するためには、そのことを認めるに足る事情を説明することを要し（大判昭六・一二・五裁判例五民二七〇）、数名の借主名義人のある借用証書がその中の一人との関係では偽造されたものであつても、他の関係では真正であることが証明された以上、反対の事由の認むべきものがない限り、後者の関係では証書記載の貸借が成立したものと認定すべきである（大判昭九・七・七新聞三七二八・一五）。また、抵当権設定登記に関する某区裁判所の庁印を押してある甲から乙に差入れた借用証書、及び抵当権抹消に関する同区裁判所の庁印を押してある乙から丙に宛てた金員受取書があるときは、「反対証拠ナキ限リ一応右証書ノ記載事実ノ存在ヲ認ムルヲ相当トシ（結局、丙が甲に代わって弁済したことになる）、之ヲ排斥スルニ当リテハ其ノ之ヲ排斥スルニ足ル理由ノ説示ヲ要」し（大判昭二・六・一〇裁判例二民九八）、金壱千円也の預り証があるのにその寄託の事実を認めることができないとするには、「其ノ因テ来ル所ノ理由ヲ説示セザルベカラザルハ勿論」である（大判昭一〇・九・七裁判例九民二二九）。

なお、承諾書に記名捺印したことを認めた者は、反証のない限り任意にこれを作成交付したものと認めることができ（大判大一三・一〇・一〇新聞二三三一・一八）、告訴を取下げること及びその取下の条件を記載した覚書に署名した者は、特別の事由のない限りその覚書の記載について拘束を受けるものと解さなければならない（大判昭六・九・一六裁判例五民二一七）。

(3)　通帳、日記帳等、帳簿について数個の判例がある。先ず、当事者間の取引を日附の順序に従つて記載し、各所に相手方の印を押してある相手方名義の鰤勘定帳と題する帳簿について、

【67】「同証ノ記載ヲ査閲スルニ………以降………迄ノ魚類ノ取引ヲ日附ノ順序ニ従ヒテ明瞭ニ記載シ、同年四月一日ノ計算ニ於テ金………ノ魚代金債務ノ残存スル旨記載シアリ、且取引項目ノ各所ニ被上告人ノ印ヲ押捺シアルヲ以テ、上告人主張ノ債権ハ的確ノ反証ナキ限リ同証ニ拠リ完全ニ立証セラレタルモノト謂ハザル可カラズ。然ルニ原判決ハ甲第二号証ニ付キ『該帳簿ノ内容ヲ精査スルニ必ズシモ日附ノ順序ニ記入ナク記載方亦不正確ナルヲ以テ、之ニ依リテハ未ダ前示ノ判定ヲ左右スル能ハズ』ト説明シテ同証ヲ排斥シ、上告人ノ請求ヲ棄却シタルハ、同証ニ於ケル記載ノ体様ヲ誤認シテ之ヲ排斥シタル違法アルモノトス」（大判大七・七・二七新聞一四七〇・二六）。

債権者が債務者宛の通帳中に、「九月十日渡し」と自分で書き印を押してある場合につき、

【68】「果シテ然ラバ特別ノ事情ナキ限リ被上告人ハ其前項ノ『差引〆金四十七円四十三銭也』ノ記載ヲ承認シテ叙上ノ文字ヲ手記シタルモノト謂ハザルベカラズ。何トナレバ若シ然ラズトセンカ、該手記ハ全ク無意義ニ至レバナリ」（大判大一〇・三・二六新聞一八四三・一八）。

右のように判断すると、債務の一部弁済の事実が認定されることになるのである。同様に書証（通帳?）中の「昭和三年一月元金二百十四円二十銭」と記載してある個所に、債務者（藍売掛代金の債務者）が実印を押してある場合に、原審が特別の証拠説明をせずに前年六月に債務を五十円に減額したと認定したのは、理由不備の違法がある（大判昭五・六・二八裁判例四民七六）。

また、支払の事実を立証するために判取帳を証拠として提出したのに、原審が漫然その支払の事実を認めるに足る証拠がないとし、右書証を排斥するについて首肯するに足る説明をしなかったのは理由不備、とした判決（大判昭一二・一二・二四判決全集五・一・三九）、両当事者及び訴外人の共同営業の収支計算を記載した日記帳と称する、被上告人の記名があり被上告人もその成立を是認する帳簿が証拠として提出されてあるのに、原審が漫然同証を排斥したのに対して、「原審ニ於テ乙第一号証ヲ排斥セントスルニハ、単ニ前示ノ如ク措信セズト為スヲ以テ足レリトセズ、須ク措信セザル理由ヲ説明スルカ若ハ他ニ首肯スルニ足ルベキ理由ヲ判示セザルベカラズ」とした判決（大判昭五・一一・一三裁判例四民一〇六）がある。

売掛台帳の記載と得意先に渡してある通帳の記載とが相異していた事件がある。結局裁判官の自由心証に委ねなければならないわけであるが、大審院判決は次のような形でなされている。

【69】「物品販売ヲ営業トスル商人ガ、販売ノ品目及価額等ヲ記載スベキ売掛台帳又ハ得意先元帳ヲ店舗

ニ備置キ、得意先ニ対シテハ別ニ販売品目及価額等ヲ記載スベキ通帳ヲ交付シタル場合ニ、台帳又ハ元帳ノ記載ト通帳ノ記載トガ往々ニシテ相一致セザルコトアルベキハ、容易ニ想像シ得ベキトコロナリ。而シテ其ノ記載ノ相一致セザル場合ニ、何レノ記載ヲ以テ信用ニ値スベキモノト為スベキヤハ、敢テ一定ノ準則アルニ非ズ。従テ、元帳又ハ台帳ノ記載ヲ以テ常ニ正確ナルモノト速断スルコトヲ得ザルハ勿論ニシテ、記載ノ体裁其ノ他諸般ノ事情ヲ斟酌シテ之ヲ決スルノ外アルベカラズ。然ラバ原審ガ冒頭摘録ノ如ク、特別ノ事情アルコトヲ説示セズシテ『売掛台帳又ハ得意先元帳ト通帳ト内容ニ於テ相違スル場合ニ於テハ元帳ニ依拠スベク云々、通帳ニ拠ルベキモノニ非ズ』ト判示シ、仍テ上告人提出ニ係ル乙第三号証通帳ノ記載ハ措信スルニ足ラザルモノト為シ、上告人ノ抗告ヲ排斥シタルハ、法則ヲ不当ニ適用シタル違法アルニアラズンバ、理由不備ノ違法アリ」（大判昭七・六・二五裁判例六民一九五）。

(4)　書証の記載を間接証拠として利用する場合についても、数個の判例がある。示談協定書に基く配当金の受取証があるときは、一応その受取証作成者がその示談協定を承認したものと認めなければならないとする判決（大判大一一・四・一三新聞二〇〇一・一七）、支払猶予書、即ち「特別御猶予相成候に付何月何日迄屹度御払込仕候云々」という証書があるのに、原審が首肯するに足る理由を説明せずにこの書証を排斥して、同証書作成の数年前にその債務を弁済したと認定したのは違法であるとする判決（大判昭四・四・一八裁判例三民六一）、賃料領収書に昭和二年三月まで毎月六円宛領収した旨の記載があるのに、昭和二年一月以後は賃貸借関係が存在しないと認定するためには、右証書がその認定の妨げとならない所以を説示することを要するとする判決（大判昭四・六・五新聞三〇四七・一三）等である。

最高裁時代になつてからも、広島高等裁判所は、宅地に隣接している芝山が賃貸借の目的となつているかどうかが争われた事件において、宅地の賃料受取証に「宅地桝切米二斗五升（芝山込ミ）右二斗五升代金十円六十一銭正ニ受取申候也」という記載があつた場合に、次のようにいつている。

【70】「もし甲第一号証に所謂芝山が係争地に該当し、従つて同号証がこれらの土地の賃料領収証であるならば、特別理由の判示がない限り同号証によつて本件係争地の賃貸借の事実を推認しえられないことはない。もし同号証に所謂芝山は係争地に該当せず、他の土地であり従つて係争地の賃料領収証でないならば、その旨の説明を加えねばならぬ。然るに原判決挙示の各証拠を綜合するも、以上の点につき首肯すべき理由を見出すことができぬ。即ち原判決が甲第一号証に関し何等判示するところなく前段摘録の事実を認定して上告人の請求を排斥したのは、畢竟審理不尽か、もしくは理由不備の違法があるといいうる。論旨は理由がありり原判決は破棄を免れない」（広島高判昭二四・一二・二三民集二・三・五二四）。

（三）書証排斥の理由をあげた判例

(1) 理由をあげて書証を信用しなかつたことを是認した判例として、

【71】「売主ガ売渡証ナルモノヲ所持スルモ、之ニ売主ノ署名捺印アルノミニシテ買主ノ署名捺印ヲ欠クトキハ、必ズシモ之ニ依リ売買契約ノ成立セルコトヲ是認セザルベカラザルモノニアラ（ズ）」（大判昭五・一二・一八民集九・一二四〇、一二四二）。

【72】「金銭貸借証書ニ連帯保証人タルコトヲ記載シテ署名捺印シタルモノト雖、常ニ連帯保証債務負担ノ意思ヲ以テ之ヲ為シタルモノナリト認ムルノ外無キモノニハ非ズ。他ニ其然ラザルコトヲ認ムルニ足ル証左有ルトキハ、斯ル事実ヲ認定スルニ何等妨アルコト無シ。原判決モ其ノ趣旨ニ出デタルモノニ他ナラザルト共ニ、其ノ引用ノ諸証拠ニ依レバ、被上告人ガ甲第一号証ニ署名捺印シタルハ、原判示ノ如キ趣旨ニ於テ

セルモノニ係リ、真ニ本件債務ニ付連帯保証人ト為リタルモノニ非ザルコトヲ認ムルヲ得可ク、其ノ間毫モ実験則違背ノ点アルヲ見ズ」（大判昭七・二・二〇新聞三三七八・一一）。

もっとも、消費貸借証書が契約成立の後日に作成されたという一事によって、証明力がないとすることはできない（大判昭八・一一・二九新聞三六六七・一六）。

(2)　一歩を進めて、信用すべきでない事由があるのに信用したのは違法である、とする判例もある。

【73】「甲第一号証借用証書ニ於ケル連帯保証人甲名下ノ印影ハ同号証ノ日附以前ニ改印セラレタル同人ノ旧印ニシテ、右日附当時右旧印ハ訴外乙之ヲ所持シ居リタルコト、及当時甲ハ丙ト改名シ居リタルコトモ亦原審ノ確定シタル事実ナルガ故ニ、甲ノ旧名ヲ用ヒ訴外乙所持ノ甲ノ旧印ヲ押捺シテ作成セラレタル同号証ノミニ依リ、直ニ甲ガ該連帯保証ヲ為シタル事実ヲ推認シ難キコトハ審験則ニ照シテ疑ナキ所ナリ。而モ原審ガ前掲ノ事実（連帯保証をした事実――筆者）ヲ確定スルニ付其ノ認定資料ト為シタル其ノ他ノ全証拠ヲ精査スルモ、該事実ヲ認ムベキ何等ノ記載アルコトナシ。左レバ原審ハ虚無ノ証拠ニ依リ前記ノ重要ナル事実ヲ認定シタルモノニシテ、所論ノ如キ違法アリ」（大判昭一二・五・二一判決全集四・一〇・二三）。

【74】「凡ソ土地ノ賃貸借ニ於テ賃貸人ガ契約証書ヲ徴スルハ、賃貸ニ係ル土地ノ範囲之ガ期限及特ニ賃料ノ額等ニ付後日惹起スルコトアルベキ紛争ヲ慮リ、之ヲ予防スルノ目的ニ外ナラザルコトハ言ヲ俟タザル所ナルヲ以テ、賃貸人ハ賃借人ノ署名ノミノ証書ヲ以テ満足スルモノニ非ザルコトハ、取引ノ通念ニ照シ普通ノ状態ニ非ザル（?――筆者）ニヨリ、特別ノ事情ナキ限リ賃借人ノ署名アルノミニテ之ガ捺印ナキ賃貸借証書ハ、未ダ完成セザルモノト認ムルヲ相当トス。然ルニ原院ハ何等特別ノ事情ヲ判示スルコトナクシテ、漫然斯ノ如キ未ダ完成セザル証書ニ係争土地ノ賃借料ハ一ケ月一坪ニ付金三十五銭ナル定アルヲ理由トシテ、之ヲ判断ノ一資料ト為シ、上告人甲ニ対シ之ガ割合ニ依ル賃料ヲ、又上告人乙ニ対シテモ同一割合ニ依ル損害金ノ支払ヲ命ジタルハ、採証ノ法則ニ違背シタル不法アリ」（大判昭四・一二・二六新聞三一二五・七）。

なお、商業帳簿について、その記載が極めて乱雑なものを、記載が整然としているとし、それを理由としてその内容を真実に合せると判定したのは違法であるとする判決があり（大判大一三・九・二九評論一三民訴四六五）、また、単に費用項目金額日時を羅列した書面で、その作成者の記載もないものを、相手方の否認があるにかかわらず、何等理由を説示することなく漫然事実（結婚挙式費用立替支払の契約を締結し、その契約に基いて金何円立替支払をしたという事実）認定の資料としたのは違法であるとする判決もある（大判昭一二・五・一四判決全集四・九・一九）。

控訴院判例

高等裁判所判例

地方裁判所判例

簡易裁判所判例

最高裁判所判例

判 例 索 引

大審院判例

著者紹介

瀧川叡一(たきかわえいいち)　司法研修所教官・判事
田中和夫(たなかかずお)　一橋大学教授

総合判例研究叢書　民事訴訟法（5）

昭和37年12月15日　初版第1刷発行
昭和39年10月30日　初版第2刷発行

著作者　瀧川叡一
　　　　田中和夫

発行者　江草四郎

東京都千代田区神田神保町2～17
発行所　株式会社　有斐閣
電話　東京（265）6811（代表）
振替口座　東京370番

秀好堂印刷・稲村製本

総合判例研究叢書 民事訴訟法(5)
(オンデマンド版)

2013年1月15日 発行

著 者 瀧川 叡一・田中 和夫
発行者 江草 貞治
発行所 株式会社 有斐閣
〒101-0051 東京都千代田区神田神保町2-17
TEL 03(3264)1314(編集) 03(3265)6811(営業)
URL http://www.yuhikaku.co.jp/

印刷・製本 株式会社 デジタルパブリッシングサービス
URL http://www.d-pub.co.jp/

AG497

ISBN4-641-91023-5
Printed in Japan